JN082838

大安寺伽藍縁起并流記資財帳を読む

大安寺歴史講座 1

菅谷文則
前奈良県立橿原考古学研究所所長

南都 大安寺編

東方出版

◆目次

はじめに――国家と仏教

〈最初に中国語の念仏が流れる〉

これは中国語の南無阿弥陀仏のテープです。中国で、無料でいただいてきました。中国山西省に五台山という霊山、仏教の聖地がありますが、そこへ行った時に、お寺にお参りしたら、いただきました。テープの裏に「非売品」と書いてありまして、「各界の人と広く善縁を結びたい為にこれを寄付します。無料で贈りますから、売買はしないで下さい」その下に、「常に念仏を唱えていると、浄土へ行くことを助けてくれる」その次に「電池が終わったら電池を入れ替えて下さい」と書いてあります。また、「この機械が不要になった時は、必ず別の人にこれを差し上げてください。そうすると功徳は無量です」と書かれています。社会主義国家の中国で、念仏のテープを寄付する大檀越（だいだんおつ）がいて、布教、仏縁を広げるために寺院で配っているのです。日本でこのような物を無料でくれるお寺も無いし、喜捨をして、お寺を通じて人々に配ってくれる人もいません。

先ほど、大安寺の貫主さん、御住職が「この寺、大安寺は日本で最初に国家として造ったお寺である」とおっしゃいましたが、この一言は非常に重要な意味があります。

仏教は、インドでおよそ紀元前五〇〇年位に始まったといわれています。ただし、よくわからないというのが学界の常識です。お釈迦様がいつお生まれになり、いつお亡くなりになったのか正確にはわからない。その点、キリストの誕生から西暦は数えていますので、はっきりしています。しかし仏教のほうははっきりしていません。

お釈迦様は肉声で説法されていました。書いた物は残さずに……。お釈迦さんがお喋りになっていた言葉は何語かよくわかりません。中国語や日本語でないことは確実ですが、インドの古代の言葉としてはサンスクリット語があります。日本の仏教で多く用いられている「梵字」「梵語」。例えば「オンコロコロセンダリマトウギソワカ」（薬師小呪真言）とか言いますよね。真言宗や天台宗でよく使われます、あれでもない。

お釈迦様が、涅槃、お隠れになった後に生前、お釈迦様はこのような事をおっしゃった、我々をこのように諭してくださった、「如是我聞」、私はこう聞いたといったことを集める為に「結集（けつじゅう）」が行われました。これが何回行われたかについても、南伝仏教（東南アジアへ伝わった教え）と、北を回って日本に来た仏教で違います。お釈迦様が実在されたことは間違いないのですが、何故、その御一生がわからないことになったのか？　おそらく、お釈迦様は権威だとか権力を否定されていたからだろうと思われます。このことは宗教と俗界の権威との関係についての釈尊の立場を物語っているように思います。

仏教は、紀元一世紀頃に中国に入ってきました。そして後に韓国や日本に仏教が伝わりました。中国の歴代王朝は、秦の始皇帝がまず、皇帝の権威を確立するための諸対策を打ち立て、漢代には国力充実もあって、皇帝権はどのような権力にも勝るという考え方が一般化していきました。仏教の基本理念の一つは、平等主義ですので、国家権力との相互矛盾が生じることは、確実です。中国の南北朝時代、六朝の梁の時代に、排仏の理論なども定まってきました。仏教と道教の対立も先鋭となり、各王朝で、強弱の差はあっても、論争され、時には廃仏が断行されました。「三武一宗の法難」（北魏の太武帝・北周の武帝・唐の武宗・後周の世宗、四皇帝の廃仏事件）はよく知られています。仏教と俗世間の関係、俗世間の代表は国家でありますが、国家と仏教の関係をどうしようか、どのように折り合いをつけるのか、ということで非常に大きな論争となり、仏教徒の間においても軋轢が生じました。

日本の場合、最初の仏教寺院として飛鳥寺を造った時、これは蘇我氏が造ったお寺ですが、当時、蘇我氏と天皇家は非常に強い血縁関係にありましたので、飛鳥寺は国家が造ったともいうことができます。これは仏教としては、天皇という方一人、あるいは国家というものを背負ってしまった途端に、天皇や国家の施策、思惑の中で動かざるを得なくなるということです。国家の保護のもとで、国家や権勢家のために現世を祈るのが奈良仏教の本質です。

比叡山延暦寺を開いた最澄は、俗界を離れ、仏道修行のために山へ入ったのですが、その後の叡山は世俗の権力と結合、現世祈祷を競うとともに荘園領主として、世俗権益を追求していきます。それが日本で大きな矛盾を起こしたのが、織田信長という日本一の権力者が力を持った時で、当時、日本仏教の中枢ともされた比叡山を信長が焼き打ちした。これは国家という枠を超えた叡山を信長は認めなかった、否定したということです。同じように本願寺も国家には組み入れられたくないということで大坂石山の本願寺は信長に抵抗した。石山本願寺は現在の大阪城の場所にあったといわれていますが、その遺跡はよくわかりません。これも国家と仏教との軋轢であったと思います。

それから、明治維新の際の「廃仏毀釈」、これは明治天皇が直接に命じたというより、正しく言うと、天皇の名の下で行われた政策による仏教の排斥。これほど日本で仏教が排斥されたことはありません。明治初年から四年までの仏教排斥は凄まじいものがありました。例えば、今 奈良市には奈良県庁がありますが、あの土地は、奈良県庁舎になる前は奈良学芸大学、その前は奈良師範学校、その前は空き地で、さらにその前は興福寺の境内で、子院がズラッと建っていた。それらをすべて潰して空き地にし、そこに役所を建てたわけです。明治維新という時に、国が仏教に代わる「神道」というものを浸透させるためです。それまで仏様と仲良くやっていた神様への信仰を「神道」という宗教として整備を図り、「二礼二拍手一礼」というような神様の拝み方も統一されました。それまでは神社によって、二拍叩くところ、三拍叩くところ、四拍叩くところ、八拍叩くところと色々あったのです。神様のお供えも今は、水と洗米と塩が一般ですが、これも明治三十年頃までに、統一が図られたものです。それまでは、各神社で、鯛を供えるところ、蛤を供えるところ、カマスを供えるところ、鹿を供えるところなど色々あったのです。ただ、春日大社とか石清水八幡宮とか伊勢神宮など長い歴史と経済基盤を持った神社だけには政府によって「特殊神饌」が認められました。春日大社では、現在も非常に特殊なお供えがあり、その内の一つに美味しいお酒もあります。このように国が微に入り細に入り日本人の信仰を「神道」を中心にしていこうとしたのが明治でありました。

また、明治政府はお寺には宗旨を変えたり、新しい宗旨や宗派を作ることを禁止しました。現在の法隆寺は聖徳宗ですが、これは第二次世界大戦後の新宗教法人の登録をした時に変わったものです。大阪の四天王寺の和宗や京都の清水寺の北法相宗も同じです。全部戦後派です。それまでの法隆寺の宗旨、法隆寺は薬師寺と同じ法相宗とされますが、明治時代には法隆寺の中で浄土宗を信仰するグループや真言律を信仰するグループもありました。法隆寺が一つの宗旨で無かったことは確実です。

このように日本においても国家と宗教、中でも仏教との間には非常に軋轢があったことがわかります。日本における最大の仏教弾圧は明治初年の「廃仏毀釈」でした。これを太政官布告の通り「神仏分離」、「神仏判然」と呼ぶことがありますが、これだとそれまで一緒だった神様と仏様を分けただけということになり、仏教排撃や神道の国教化がなにやらぼやけてしまいます。明治政府や明治天皇への批判を和らげるためにわざとそう呼んでいるのかもしれません。

一　『大安寺伽藍縁起并流記資財帳』とは

それでは『大安寺伽藍縁起并流記資財帳』（以下『資財帳』）について、お話したいと思います。大安寺からは『大安寺史・史料』という本が昭和五十九年十一月に刊行されており、「寺誌」としてこの『資財帳』も活字でその全文が収録されています。

「大安寺」は奈良の都、平城京に営まれたお寺の名前。「伽藍」とは、寺に所属する建築物とその敷地のことで、「縁起」は、寺の始まりとその背景や発願者、大檀越とこの書が書かれた奈良時代までの大安寺の前史について述べたものです。「流記」とは後代にまで流し留める記録の意味で、「資財」は寺のもつ財産。仏像・経典・住僧・日常用具・寺領などについて、員数や寸法まで細かに記録しています。奈良・平安時代に諸寺が国家に上申した寺院の由緒と財産目録で、寺を管理、運営を担う三役（三綱）が立ち会い、いちいち寺内の実物を調べて記帳し、国家機関の僧綱所に提出された公式文書です。国が寺院の資産の厳正な管理のために提出させたもので、その監査機関が僧綱だといえます。こうし

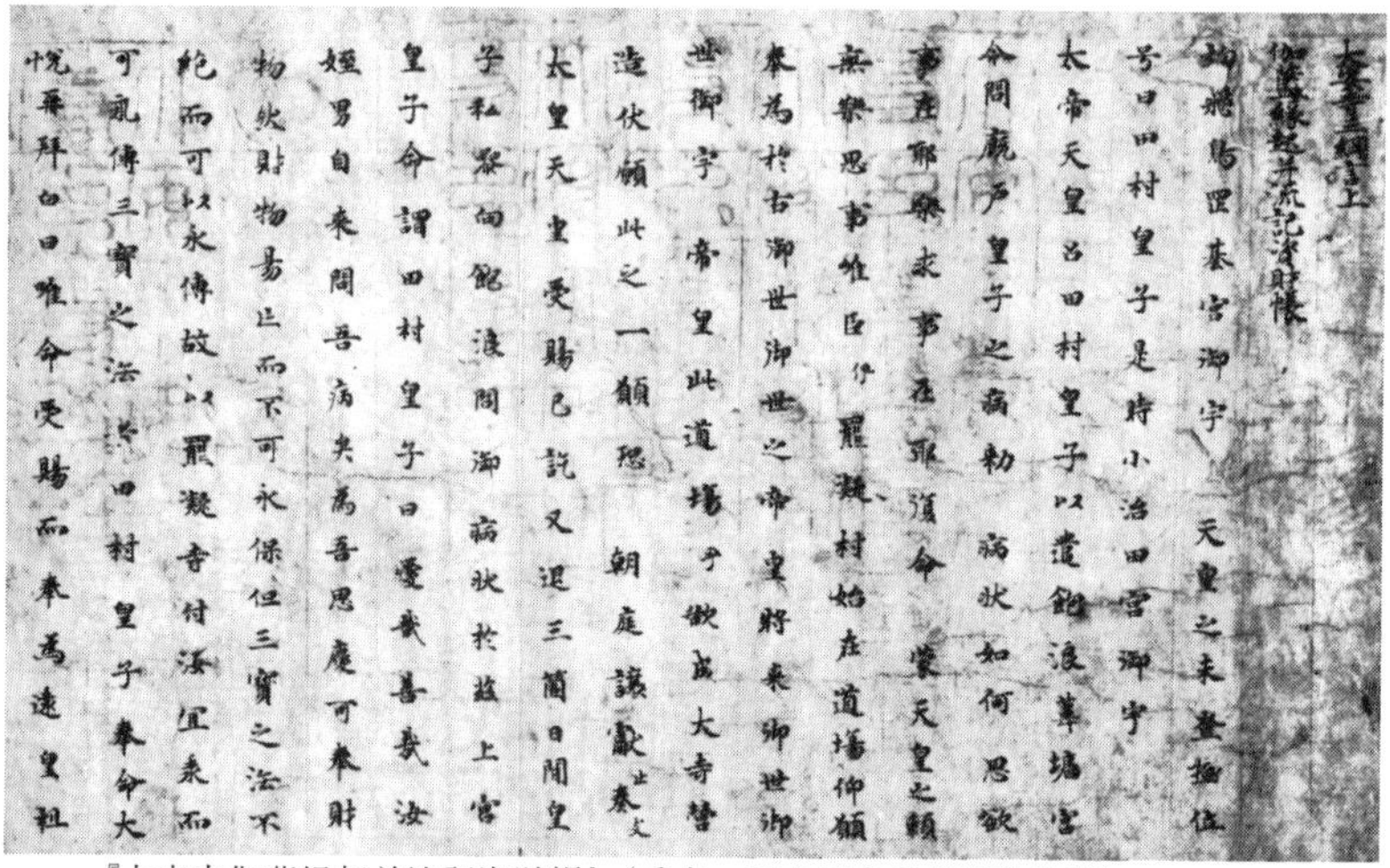
大安寺三綱言上
伽藍縁起并流記資財帳
初飛鳥岡基宮御宇　天皇之未登極位
号曰田村皇子是時小治田宮御宇
太帝天皇召田村皇子以遣飽浪葦墻宮
令問廐戸皇子之病勅病状如何思欲
事在耶楽求事在耶復命蒙天皇之頼
無楽思事唯臣伊羆凝村始在道場仰願
奉為於古御世御世之帝皇将来御世御
宇帝皇此道場乎欲成大寺営
造伏願此之一願恐朝庭譲献止奏支
太皇天皇受賜已訖又退三箇日間皇
子私参向飽浪問御病状於茲上宮
皇子命謂田村皇子曰愛哉善哉汝
姪男自来問吾病矣為吾思慶可奉財
物然財物易亡而不可永保但三寶之法不
絶而可以永傳故以羆凝寺付汝宜承而
可祖傳三寶之法者田村皇子奉命大
悦再拜白曰唯命受賜而奉為遠皇祖

『大安寺伽藍縁起并流記資財帳』（重文・国立歴史民俗博物館蔵）

た『資財帳』は大安寺のもの以外に元興寺（天平十九年）、法隆寺（天平十九年）、法隆寺東院（天平宝字五年）、西大寺（宝亀十一年）などが伝わっていますが、これらが新しい写本や一部だけの抄本であるのに対し、大安寺のものは奈良時代、天平十九（七四七）年に提出された原本あるいは、あまり時期をおかずに大安寺が作成した写本で、完全な形で伝わり、奈良時代の大寺院のことを知る上で第一級の資料と言えます。この大安寺の『資財帳』は奈良市菩提山町にある正暦寺（しょうりやくじ）に伝えられていたのですが、文化庁の所有となり、現在は千葉県佐倉市にある国立歴史民俗博物館の所蔵となっており、重要文化財に指定されています。

『資財帳』の作成と提出

まず、冒頭に「大安寺三綱言上」とあって、これに続き「伽藍縁起并流記資財帳」とあります。大安寺三綱が以下の資財帳を申し上げますということで、言上は肉声で申し上げる状態を示す言葉ですが、ここでは書面をもって申し上げますということになります。三綱とは大安寺を管理運営する僧の三役で、資財帳の最後、天平十九年二月十一日の日付の後に、都維那僧・霊仁／寺主法師・教義／上座法師・尊耀と三僧が自署、サインしており、その名前がわかります。この三人が当時、大安寺を管理運営している僧で、都維那は僧侶の戒律・学問に関する監督責任者。寺主というと現在の住職のようで、最高位のようですが、これは寺内の第二の僧で事務、経営責任者、事務長さんです。上座が年長の高徳者が任じられる最高責任者ということになります。こうした三綱と呼ばれる僧職は、各寺院に置かれています。寺内で選任し、役所に届け出して任じられていたとみられるこの三綱は、平安時代に入ると、国が任命する最高位の座主・長者・別当に指揮・監督されるようになり、寺の所司、事務方のようになっていきます。

律令制では天皇を頂点として「二官八省」があって、国家機関（朝廷）を組織しています。二官は太政官と神祇官。形の上では神祭りを担当所管する神祇官が国政を担当する太政官に対置されていますが、太政官ほどの力はもっていません。太政官に属す八省のひとつに治部省があり、その下に玄蕃寮があります。玄蕃寮の「玄」は僧侶、「蕃」は外国人のことで、僧尼の名簿の管理や宮中の仏事法会の監督と外国使節の送迎・接待、迎賓館である鴻臚館の管理などをその職掌としています。「僧綱」は仏教教団を統率し、僧尼を取り締まるために置かれた僧官の職で、僧侶が任じられており、一応形式上は仏教教団の自治、自主性を重んじているようにも見えますが、この玄蕃寮の監督下にあり、僧正、僧都、律師という僧綱の三職は政府が任命していました。この僧綱が参集して執務する役所が僧綱所で、奈良時代には薬師寺に置かれたとされます。僧正、僧都、律師および実務を担当する佐官からなる機構で、国家宗教局みたいなものです。平安時代には、この僧綱の官位として僧位が定められ、僧正に法印大和尚位、僧都に法眼和上位、律師に法橋上人位といった位が与えられるようにもなります。

各寺々の三綱はこの僧綱の指揮命令下にあるわけです。『資財帳』は、その末尾に記されているように、天皇の勅、この時の天皇は聖武天皇ですが、これを宣べ伝えた左大臣、これは橘諸兄、この勅命を受けた僧綱所が大安寺に作製させたものであることがわかります。僧綱所からの命を受ければ、大安寺三綱は子細を勘録して謹んで言上しなければならなかったのです。奈良時代の仏教は国家組織に組み込まれていたのです。

天平十八年十月十四日付けで僧綱所の「牒」、牒というのは寺院関係や上下関係がはっきりしない役所間で用いられた文書形式で、この文書で大安寺に命じ、翌十九年二月十一日に大安寺が僧綱所に進上。提出された『資財帳』は、僧綱所のチェックを受けて、天平二十年六月十七日付で、僧綱所で加判、署名して、「恒式」（変わることのない規定）として、「遠代」（ずっと後々）まで伝えさせるために寺家（大安寺）に下されたことがわかります。『資財帳』は巻子装（巻物）に仕立てられており、麻の樹皮や布を原料とした二十四枚の褐麻紙を続いでいます。字面には全面に「大安寺印」五百二十五の朱方印が押されています。正倉院展などに出陳された奈良時代の文書には、やたらと当時の役所や国郡の印を押してあるものがありますが、これは書類の改竄防止のために押しています。巻物に仕立てるために何枚もの文書を糊で付けていますから、巻頭と巻末の押印だと真中の紙を差し替えることも可能で、それを防止する為に文字面全部に押しています。後には重要箇所だけ押すようになり、今では最後にだけ押印するようになりました。現在でも不動産売買などの契約書はページ間にも割印をしていますが、それと一緒です。また、巻首には斐紙（雁皮紙）の補紙をつけていますが、この継目にも大安寺印が押されています。この大安寺印などが、もし現存すれば重要文化財や国宝なのでしょうが、残念ながら現存しません。奈良時代の印で現在まで伝わっているのは島根県隠岐島の玉若酢命神社の社家、億岐家に駅鈴とともに伝わる「隠伎倉印」（重要文化財）だけです。東大寺や法隆寺にも奈良時代の印は伝わっていません。

この大安寺の『資財帳』が、なぜ菩提山正暦寺に伝えられていたのかは、よくわかりません。正暦寺は、奈良市東南の郊外にあり、正暦三（九九二）年に一条天皇の勅命によって創建されたお寺です。寛弘四（一〇〇七）年に藤原道長が金峯山詣を行い、この時に道長は大安寺で一泊しており、大安寺の寺勢が盛んであったことがわかります。しかし、その十年後、寛仁元（一〇一七）年三月一日の火災によって大安寺は東塔を残して、創建伽藍のすべてを失ってしまいます。この時、本尊の釈迦如来一躯だけが運びだされ、火難を免れたと伝えています。この火災に際して持ち出された寺宝の一部を郊外の正暦寺に安置したので、そこに伝わったとも推定できますが、移動のことを記した史料などはありません。正暦寺も平安時代末の治承四年、平重衡の南都焼き討ちの際に全山焼失し、鎌倉時代に興福寺によって法相宗の学問所として再興していますので、正暦寺への移動は興福寺を経たものなのかもしれません。

二　大安寺の「縁起」——その由緒といわれ

大安寺伽藍縁起并流記資財帳

大安寺三綱言上

伽藍縁起并流記資財帳

初飛鳥岡基宮御宇　天皇之未登極位、号曰田村皇子、是時小治田宮御宇　太帝天皇、召田村皇子、以遣飽浪葦墻宮、令問厩戸皇子之病、勅、病状如何、思欲事在耶、楽求事在耶、復命、蒙天皇之頼、無楽思事、唯臣伊羆凝村始在道場、仰願奉為於古御世御世之帝皇、将来御世御世御宇　帝皇、此道場乎欲成大寺営造、伏願此之一願、恐　朝庭譲献止奏支、太皇天皇受賜已訖、又退三箇日間、皇子私参向飽浪、問御病状、於茲上宮皇子命謂田村皇子曰、愛哉善哉、汝姪男、自来問吾病矣、為吾思慶可奉財物、然財物易亡而不可永保、但三宝之法、不絶而可以永伝、故以羆凝寺付汝、宜承而可永伝三宝之法者、田村皇子奉命大

悦、再拝白曰、唯命受賜而、奉為遠皇祖并大王、及継治天下　天皇御世御世、不絶流伝此寺、
仍率将妻子、以衣斎褁土営成而、永興三宝、皇祚無窮白、後時　天皇臨崩日之、召田村皇
子遺詔、皇孫　朕病篤矣、今汝登極位、授奉宝位、与上宮皇子譲　朕羆凝寺、亦於汝毛授
祁利、此寺後世流伝勅支、仍即　天皇位十一年歳次己亥春二月、於百済川側、子部社乎切排而、
院寺家建九重塔、入賜三百戸封、号曰百済大寺、此時、社神怨而失火、焼破九重塔並金堂
石鴟尾、天皇将崩賜時、勅太后尊久、此寺如意造建、此事為事給耳、爾時後岡基宮御宇
天皇造此寺司阿倍倉橋麻呂、穂積百足二人任賜、以後、天皇行車(幸カ)筑志朝倉宮、将崩賜時、
甚痛憂勅久、此寺授誰参来止、先帝待問賜者、如何答申止憂賜支、爾時近江宮御宇　天皇奏
久、開伊髻墨刺乎刺、肩負鉇、腰刺斧奉為奏支、仲天皇奏久、妾毛我妹等、炊女而奉造止奏支、
爾時手柏(拍)慶賜而崩賜之、以後飛鳥淨御原宮御宇　天皇二年歳次癸酉十二月壬午朔戊戌、造
寺司小紫冠御野王、小錦下紀臣訶多麻呂二人任賜、自百済地移高市地、始院寺家入賜七百
戸封、九百三十二町墾田地、卅万束論定出挙稲、六年歳次丁丑九月康(庚)申朔丙寅、改高市大
寺号大官大寺、十三年　天皇寝膳不安、是時、東宮草壁太子尊奉　勅、率親王諸王諸臣百
官人等天下公民、誓願賜久、大寺営造延今三年　天皇大御寿、然則大御寿更三年大坐坐支、
以後藤原宮御宇　天皇朝庭爾、寺主恵勢法師乎令鋳鍾(鐘)之、亦後藤原朝庭御宇　天皇、九重
塔立金堂作建、並丈六像敬奉造之、次平城宮御宇　天皇天平十六年歳次甲申六月十七日、

九百九十四町墾地入賜支、

大安寺の起源

冒頭の「大安寺三綱言上　伽藍縁起并流記資財帳」の次からは大安寺の由緒、縁起を述べており、これを現代語訳しますと次のようになります。「（　）内は筆者が補った語句」

初めに飛鳥岡基宮御宇天皇（舒明天皇）が、まだ即位される前、田村皇子という名であった時に、小治田宮御宇太帝天皇（推古天皇）が、田村皇子を召し、飽浪葦墻宮に遣わして、厩戸皇子（聖徳太子）の病状を問わしめた。天皇のお言葉として「病状は如何か、思い欲すことはあるか、楽い求める事はあるか」（と聞くと、太子が答えて）「天皇のおかげをもち、楽い思うことはありません。ただ臣（聖徳太子）は、羆凝村に（仏教修行の）道場を建てたのですが、この道場を古の天皇、将来の天皇の御ために、大寺として営造したいと望んでいます。伏して願わくば、この願いかなえてください」と申し上げた。太皇天皇（推古天皇）はこの奏上を受けた。また、田村皇子は戻ってから三日間後に私的に飽浪に参向し、（太子の）御病状を問わされた。上宮皇子（聖徳太子）は喜び、田村皇子に言った。「うれしいので、財物を差し上げたいが、財物は亡びやすく、永く保つことは出来ない。三宝の法（仏法）は絶対変わらず永遠のものであるから、羆凝寺を汝（田村皇子）に与える。受け取って永く三宝の法を伝えなさい」と。田村皇子は大いに悦び、再拝してつぎのように申し上げた。「命を受け賜り、遠き皇祖や大王、代々の天皇のためにこの寺（羆凝寺）を伝えます。そのためには妻子を引き連れ、衣で土をつつしんで包んで運び、（寺を）営み成し、永く三宝を興し、皇位は永遠になるでしょう」と。

まず、最初に登場するのが、「飛鳥岡基宮御宇天皇」、舒明天皇です。天智天皇や天武天皇の父で、奈良時代の歴代天皇のご先祖です。「御宇」と「天皇」との間は原文では一字空けています。これは、文中に天皇など高貴な人をさす言葉を書くとき，敬意を表するため，その言葉のすぐ上を空けるという「闕字」の書札礼で、律令の公式令の規定に基づくものです。御宇の御は「御する」、宇は宇宙の「宇」、天下、世界です。飛鳥の岡本宮で天下国家を統治するという意味です。

この部分は、『日本書紀』が推古天皇二十九（六二一）年に亡くなったとする聖徳太子、聖徳太子の没年は「法隆寺金堂釈迦三尊光背銘」や「天寿国繍帳銘」などから推古三十（六二二）年とみるのが有力ですが、この聖徳太子の遺言で、羆凝（熊凝）寺を譲られた田村皇子（後の舒明天皇）が百済大寺を造営することとなったといういきさつを記し、聖徳太子の遺言がそもそも大安寺の起源だと、くどいほど繰り返していますが、話の主役は、あくまでも、寺の発願者で王家の始祖である舒明天皇になっています。

額安寺（大和郡山市額田部寺町）

飽波葦墻宮と羆凝寺

この縁起に出てくる聖徳太子の飽波葦墻宮については、奈良県安堵町に推定する説と斑鳩町に推定する説があり、斑鳩町の上宮遺跡は奈良時代に称徳天皇が行幸した飽波宮とみられますが、同じ場所にあったかどうかはわかりません。また、聖徳太子が建てたとする「羆凝村の道場（羆凝寺）」というのは、後に「熊凝精舎」とも呼ばれていますが、大和郡山市の南にある「額安寺」だとされてきました。鎌倉時代以来、そのように云われてきたのですが、平安時代には摂津国にあったと記した書物もあります。額安寺が「羆凝村の道場」（羆凝寺）であったという証拠はありません。郡山の額田部にある額安寺は、もと額田氏の氏寺である額田寺で、平城京での大安寺の造営に尽した奈良時代の僧、道慈がこの額田氏出身であるため、額田寺を「羆凝の道場（熊凝精舎）」とする伝承が生まれたとする説もありますが、そもそも田村皇子が聖徳太子の営んだ羆凝寺を受け継いだというのは、舒明天皇の百済大寺の創建に日本仏教最初の保護者である聖徳太子とを関係づけているだけであって、羆凝寺自体の実在も疑わしく、羆凝寺と百済大寺の具体的な関係性や繋がりについてはなにも触れていません。

百済大寺の遺跡

田村皇子は即位して、舒明天皇の十一年の春二月に、「百済川のほとりにおいて、子部の社を切りひらき、寺家を院し、九重塔を建てた」と『資財帳』は記しています。これは『日本書紀』の舒明天皇十一（六三九）年の「秋七月に詔してのたまはく、今年大宮及び大寺を造作らしむとのたまふ。則ち百済川のほとりを以て宮処とす。是を以て西の民は宮を造り、東の民は寺を造る」という記事が対応しますが、月が異なります。この九重塔という大塔を立てた地は何処か。「百済川側」とは何処だということですが、今から二十年ほど前までは、どこかわからないというのが一番で、『資財帳』の縁起は大安寺と天皇家との結びつきを主張せんがための「話」にすぎず、九重塔など実在するはずが無いとして百済大寺の存在を疑う説もありました。二番目にあったのが、北葛城郡広陵町百済にある百済寺に求める説です。この百済寺には重要文化財の鎌倉時代の三重塔もありますが、古代から続く寺だという確証がありません。最近は、百済大寺は吉備池廃寺と呼ばれる寺院遺跡とみてほぼ間違いないだろうということになってきています。桜井市の吉備、近鉄大阪線の大福駅から南へ歩いて、国道一六五号線、そのまだ南の工場街の北の方に吉備池という池がありまして、そこで飛鳥時代でもやや古そうな瓦が見つかるので、前園實知雄さん（当時、橿原考古学研究所）がレポートを書いて、ここは寺跡だと言うと、瓦を焼いた窯跡だという意見も出されました。池の護岸工事が始まるので、発掘調査をしたら、今までにない大きなお寺の跡が出て来ました。塔と金堂が横に東西に並ぶ法隆寺式伽藍で、塔や金堂跡が格段に大きい。塔跡の基壇は一辺約三二メートル、九重塔であってもおかしくありません。七世紀前半とみられる瓦が出土しており、金堂の前に門があって、塔の前にも門があるらしい。これは日本の仏教寺院の常識では考えられません。名前は百済ですが、私

吉備池廃寺の軒瓦

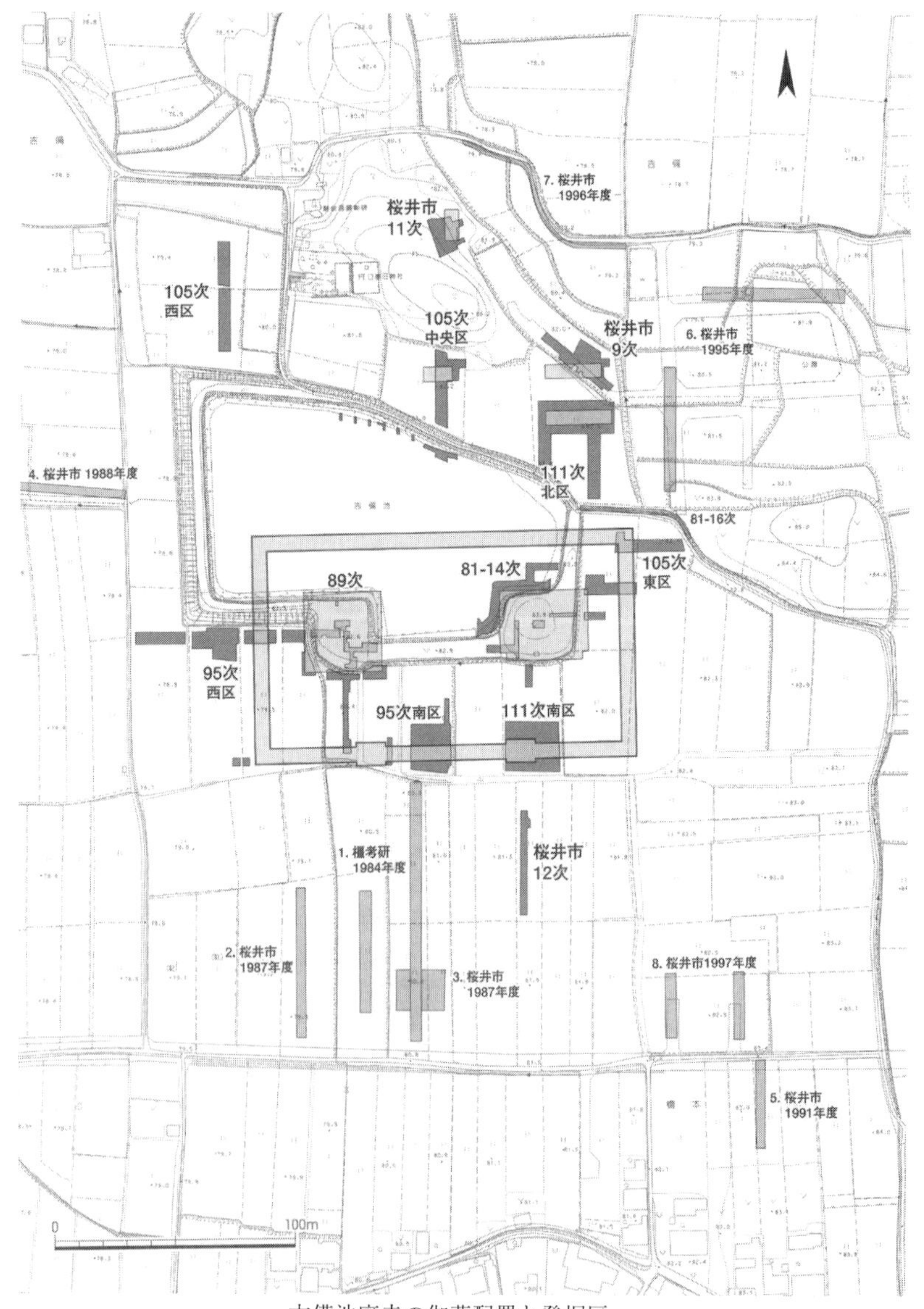

吉備池廃寺の伽藍配置と発掘区
(『吉備池廃寺発掘調査報告書』2003 から)

は新羅の寺院の影響を受けたのではないかと考えています。現在のところ、この発掘調査で見つかった吉備池廃寺の大伽藍が百済大寺の遺跡と考えるのがほぼ妥当で、これは戦後の大安寺研究にとっては一番大きな成果だろうと思います。

百済大寺の造営

『資財帳』の縁起では舒明天皇がこの寺に三百戸の封戸を施入して百済大寺と名付けたとし、続けて社地を切り開かれた子部社の神の怨み（祟り）によって、火が出て、九重塔と金堂の石鴟尾は焼けたと記しています。古代の寺の屋根にのっている鴟尾は、瓦製の他に青銅（ブロンズ）製や石製のものもあり、百済大寺の金堂のものは「沓形石」と呼ばれる石製鴟尾であったようです。ただ、舒明天皇は百済大寺の造営を着手した二年後、舒明天皇十三年には崩御されますので、その御生前に火災に遭うような九重塔や金堂が完成していたとは思えません。造営途中の火災でしょうか。舒明天皇は崩御の時、皇后（宝皇女、後の皇極天皇）に寺の造建を託し、「後岡基宮　御　宇　天皇（皇極天皇）」が、造寺司として阿倍倉橋麻呂と穂積百足の二人を任じたとします。阿倍倉橋麻呂の本拠地とされる桜井市阿部は吉備池廃寺のすぐ東側です。『日本書紀』では皇極天皇元（六四二）年九月三日に「大寺を起し造らむと思欲ふ」、「近江と越との丁を発せ」と命じたとしており、百済大寺の造営のため、近江と北陸地方の人々を役民として徴発したことがわかります。宮室（飛鳥板蓋宮）のほうは「東は遠海(とおとうみ)を限り西は安芸を限り宮造る丁を発せ」としており、これは舒明天皇の時の「西の民は宮を造り、東の民は寺を造る」と同じで、国を挙げての大工事であることがうかがえます。また、『日本書紀』には大化元（六四五）年八月に恵妙法師を百済寺寺主にするという記事があり、この頃まではある程度、寺観が整っていたようです。

　皇極天皇は重祚して斉明天皇となり、筑紫朝倉宮で崩御されんとする際に、嘆いておっしゃるには「『寺の造営は誰に授けてきたのか』と、あの世で先帝（舒明天皇）に聞かれれば、どう答えよう」と。すると「近江宮御宇天皇(おうみのみやにあめのしたしらししすめらみこと)（天智天皇）」、この時は中大兄皇子(なかのおおえのみこ)ですが、「私が髻(もとどり)に墨刺(すみさし)を刺し、肩に鉝(ておの)（釿）を負い、腰に斧(よき)をつけて作り奉ります」と申し上げた。この頃の大工さんは髪の束ねた部分に材木に印をつける墨刺しをさしていたり、手斧（釿・チョウナ）を肩に掛けていたり、腰に斧をさしていたようで、大工姿で、大工になってでも寺を造営しますという皇太子の決意表明です。その妃の「仲天皇(なかのすめらみこと)（倭姫王(やまとひめのおおきみ)）」も、私も夫とともに建築現場の炊女(かしきめ)（炊事婦）になって造営をお手伝いしますと申し上げたので天皇は手を打って慶び、お亡くなりになられたと縁起は記しています。中大兄皇子が母帝の臨終の枕元で本当にこんなことを言ったのかどうかはわかりません。舒明天皇の始めた百済大寺の造営事業は、その崩御で中断、お后の皇極天皇が再開して、その子の天智天皇へと引き継がれたのだという大安寺の主張です。

高市大寺と大官大寺

続いて、「飛鳥浄御原宮御宇天皇」、これは天武天皇、その二年（六七三）に小紫冠の御野王と小錦下の紀臣訶多麻呂の二人を造寺司に任じ、百済の地から高市の地に寺を移したと記しています。小紫冠や小錦下は冠位で、天智天皇三（六六四）年に定められた冠位二十六階とみられ、大織・小織・大縫・小縫・大紫・小紫・大錦（上・中・下）・小錦（上・中・下）・大山（上・中・下）・小山（上・中・下）・大乙（上・中・下）・小乙（上・中・下）・大建、小建という順になっています。天智天皇の崩御後の壬申の乱に勝利して即位した天武天皇は都を近江から飛鳥にもどすとともに、百済大寺を高市の地に移したのです。百済大寺を高市に移し、高市大寺としたのは、父、舒明天皇の事業を受け継ぐことで、壬申の乱に勝利して即位したという即位の正当性を示すとともに、この年が舒明天皇の三十三回忌、母の皇極（斉明）天皇の十三回忌の供養という意味があったのかもしれません。天武天皇は七百戸の封戸、九百三十二町の墾田地、三十万束の論定出挙稲、これは後でも出てきますが、これを寺に施入しています。そして、天武天皇六（六七七）年には高市大寺（たけちのおおてら）の名を大官大寺（だいかんだいじ）と改めたとします。
百済の地にあったのが百済大寺、この遺跡は吉備池廃寺が有力、この百済大寺を高市に移したのが高市大寺で、高市というのは、古代史や万葉集では「タケチ」と読んでいますが、今の高市郡は「タカイチ」と読んでいます。高市は飛鳥付近と考えて良いと思います。これが大官大寺という名前に改称された。「大官」については「勅願一切経」を「大官一切経」とも呼ぶことがありますので、大官とは天皇のこと、天皇の大寺という意味だとみられています。

天武天皇十三（六八四）年には「天皇寝膳不安」、天武天皇は睡眠も食事も安からずということになります。是の時、東宮（皇太子）の「草壁太子尊（くさかべのたいしのみこと）（草壁皇子）」が勅を受け、諸王、諸臣、百官人など天下の公民を率いて、大寺を造営し、天皇のお命をもう三年延ばすように誓願して、御寿命はさらに三年延びたとしています。

仏教では仏の教えを信ずれば、救われるとは説いていますが、延命効果があるなどとは言っていません。それがインドで始まったお釈迦さんの教えの本来のはずなのですけど、もうこのあたりになると、仏教が延命長寿だとか皇位無窮だとか現世の政治の一端を担うようになっていることがわかります。

また、「後藤原宮御宇天皇（のちのふじわらのみやにあめのしたしらししすめらみこと）（持統天皇）」は寺主の恵勢（えせい）法師に鐘を鋳造させ、また「後藤原朝廷御宇天皇（のちのふじわらのみかどにあめのしたしらしすめらみこと）」これは文武天皇のことですが、文武天皇の時に九重塔を立て金堂を作り、丈六像を造ったとします。

百済大寺を移し、天武天皇二（六七三）年から造営が始まった高市大寺は天武天皇六（六七七）年に大官大寺と改名し、天武天皇十三（六八四）年には草壁皇子もその造営を行っていたのに、文武天皇の時（六九七〜七〇七年）に、九重塔や金堂、本尊とみられる丈六像を作ったと記しています。

大官大寺跡の発掘調査

天香久山の南、飛鳥寺の北の方に大官大寺の遺跡が国の史跡に指定されて残されています。ただ大変、残念なことに、明治に橿原神宮を現在の立派な社殿にするにあたって石が要る。飛鳥のあそこに行ったら石がいっぱい、礎石がいっぱいある。あの石、巨大な礎石を採って来たらどうか、ということになって、それを取ってきまして、その石をそのまま使ってくれたら、まだ良かったのに、あまりにも礎石が大きいので、みんな割って、橿原神宮の本殿を囲む高い石垣などに使われてしまいました。こうして大官大寺跡の礎石は全部抜き取られてしまいました。

この大官大寺跡の発掘調査では奈良時代以後の瓦はまったく出土しません。創建時のも

大官大寺の軒瓦

のだけで、この瓦は軒丸瓦の文様は盛唐風の複弁蓮華文。軒平瓦の文様は唐草文が中心から左右にのびる均整唐草文。奈良時代の軒瓦と文様の上で、共通する点が多く、七世紀とはいっても七世紀末～八世紀初頭頃の瓦だとみられます。この瓦は大安寺の境内からも出土します。

この大官大寺跡の発掘調査でも新しいことがわかりました。最も重要なことは、この寺の遺跡は造営途中に全焼していることがわかったことです。金堂跡のまわりには垂木が焼け落ちて地面に突き刺さっており、塔は基壇周りの化粧石が設置されておらず、中門や回廊は瓦葺工事中に焼けています。完成していないということです。高市大寺が改名した大官大寺であれば、天武天皇の時代に完成しているはずで、この香久山の南の大官大寺跡の遺跡はどうやら文武天皇（在位六九七～七〇七年）の時代の遺跡だということになり、『資財帳』の縁起でいう文武天皇の時に九重塔を立て金堂を作り、丈六像を造ったというのはこのことだと考えられることになったのです。当然、高市大寺（天武天皇時代の大官大寺）はこの工事途中で焼けた文武天皇の大官大寺とは別の場所にあったということになります。この高市大寺の所在、どこにあっ

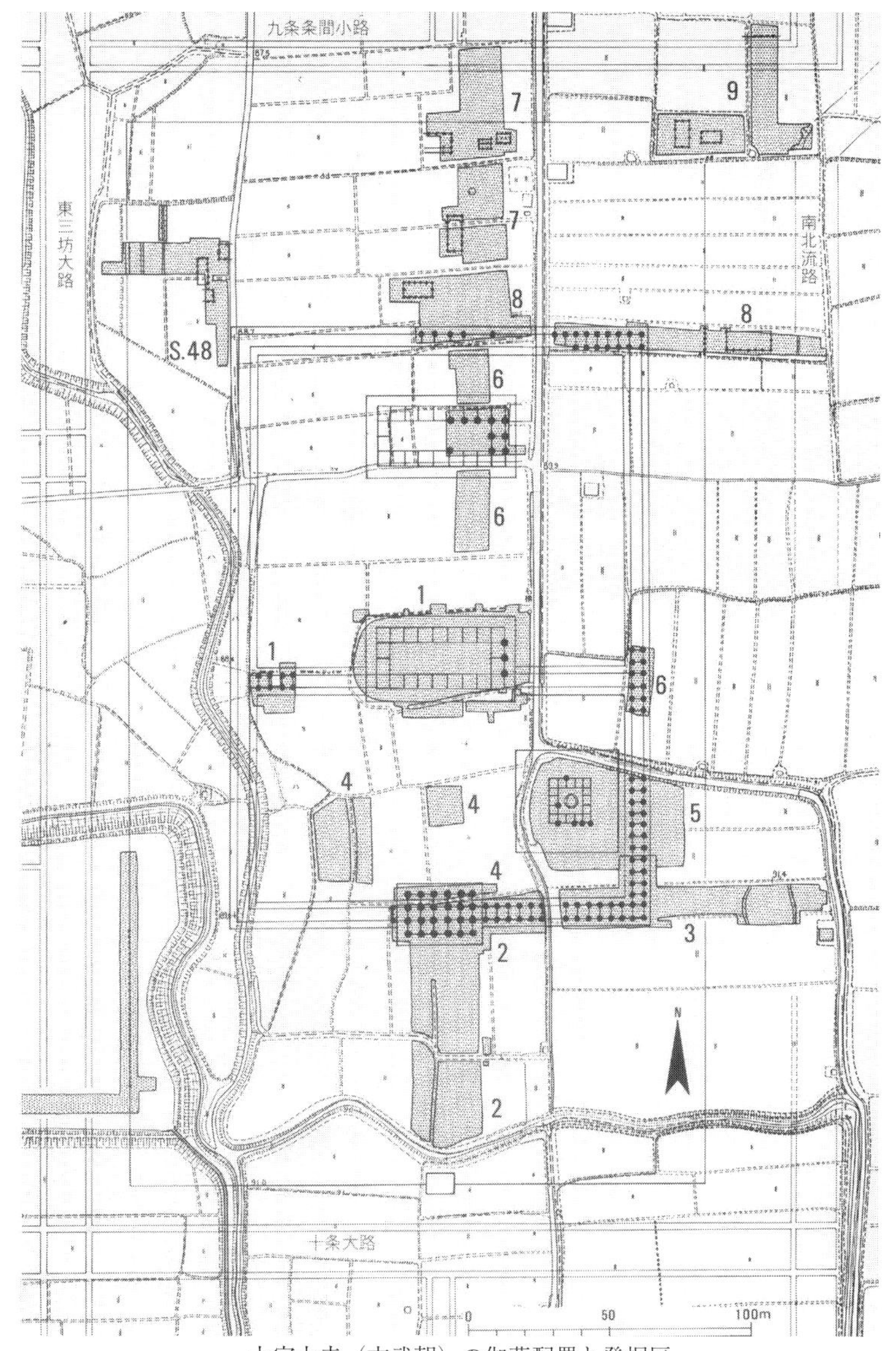

大官大寺（文武朝）の伽藍配置と発掘区
（『大官大寺—飛鳥最大の寺—』1985 から）

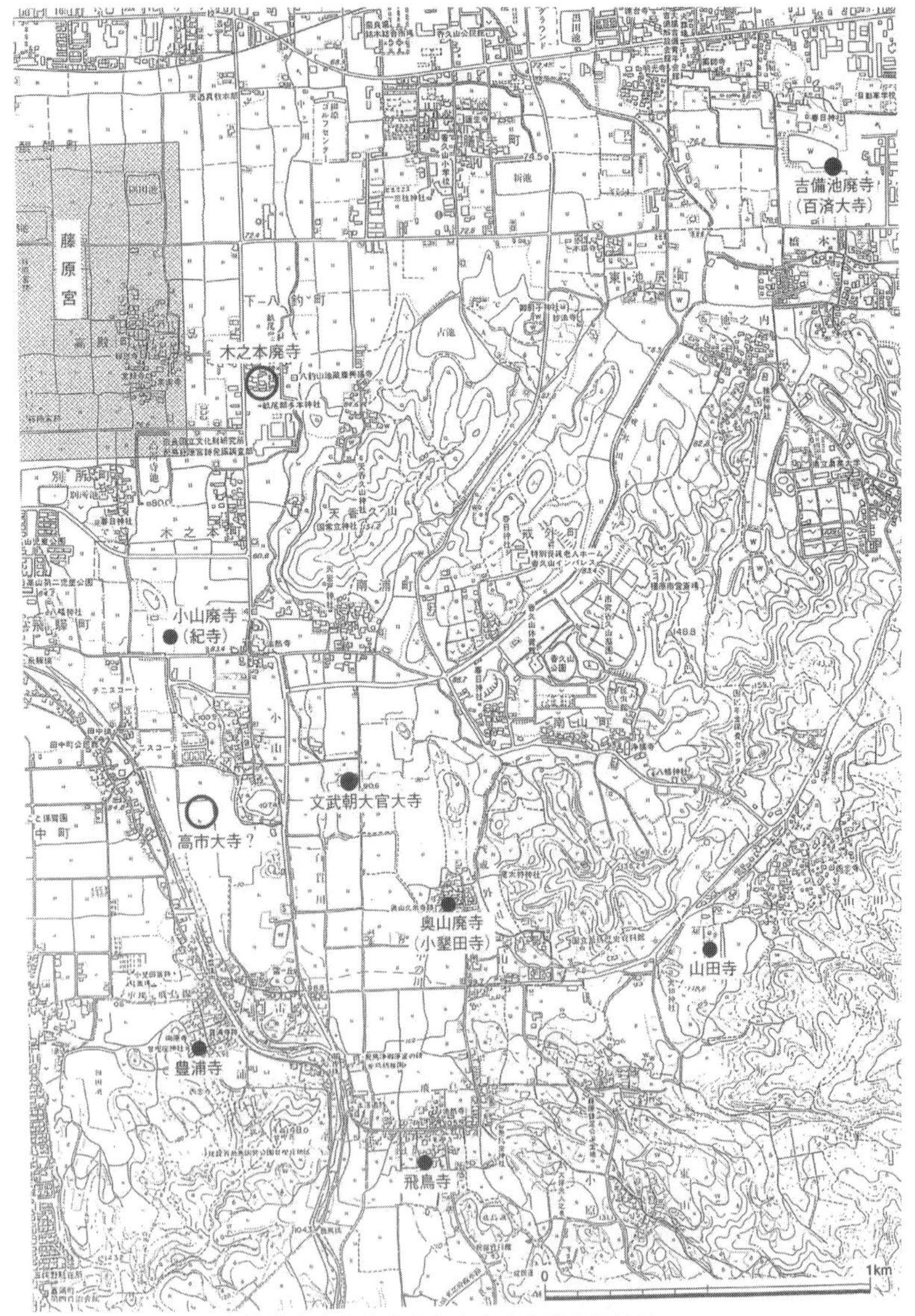

吉備池廃寺大官大寺と高市大寺推定候補地

たのかが、問題ですが、その所在地は未だ確定していません。

　いくつかの推定地があり、ひとつは藤原宮跡の東の木之本廃寺と呼ばれる遺跡。これはほとんど実態がわからないのですが、吉備池廃寺と同じ瓦が出土しています。ただ、所在地が古代の高市郡でなく十市郡に含まれてしまいます。藤原宮の南、奈良県のテニスコートがあるところにある小山廃寺（紀寺跡）も候補地で、この寺は藤原京の中で薬師寺（本薬師寺）と対象の位置にあり、平城京の薬師寺と大安寺の在り方とも共通します。また、もう少し南にある祇園山（ぎおやま）の西一帯も有力な候補地ですが、ここからは大官大寺と同じ瓦が出土するのですが、吉備池廃寺と同じ瓦は見つかっていません。

大安寺縁起とは

　縁起部分は「平城宮（ならのみやに）　御宇（あめのしたしらしし）　天皇（すめらみこと）（聖武天皇）」が天平十六年六月十七日に九百九十四町の墾地を寺に施入したという記事が最後になります。『資財帳』が提出される三年前には今上陛下から九百九十四町の未開墾地を含む田んぼ、奈良時代の田んぼ一町は現在よりもやや広く、九百九十四町なら一一八〇ヘクタールぐらいの土地をいただいたという記事で縁起部分が終わっています。

　縁起では文武天皇が大官大寺の九重塔を建て金堂を作り、丈六像を造ったという記事の次が、三年前に今上、聖武天皇から所領を頂いたという記事で、大官大寺が火災にあったとか、奈良に都が移り、大安寺が平城京に建てられたいきさつについてなどは何も書かれていません。

縁起が語るのは舒明天皇以来の歴代の天皇との関わりだけで、聖徳太子の遺志が舒明天皇に始まる皇統に受け継がれ、今に至るまで継承発展したのだということだけを強調しています。この中には事実ではないような説話も記されていますが、代々の天皇が造営に力を尽くしてきた寺こそが大安寺であり、王朝の安泰のためには大安寺を大事にすることなのですよというのが、奈良時代の大安寺が最も主張したいことだといってよいでしょう。

三　大安寺の資財1——仏・法・僧

合仏像玖具壱拾漆躯　丈六即像弐具

右淡海大津宮御宇　天皇奉造而請坐者、

金涅銅像一具

右不知請坐時世

宮殿像二具 一具千仏像 一具三重千仏像

金涅雑仏像参具　木葉形仏像一具

金涅灌仏像一具　金涅雑仏像三躯

金涅太子像七具　金涅菩薩像五躯

合繡仏像参帳一帳 高二丈二尺七寸　広二丈二尺四寸 二帳並高各二丈　広一丈八尺

一帳像具脇侍菩薩八部等卅六像

右袁智　天皇坐難波宮而、庚戌年冬十月始、辛亥年春三月造畢、即請者、

一帳大般若四処十六会図像
一帳華厳七処九会図像
右以天平十四年歳次壬午、奉為十代　天皇、前律師道慈法師、寺主僧教義等奉造者、
織絨仏像一帳
画仏像六帳
右不知世時
繍菩薩像一帳
右以丙戌年七月、奉為淨御原宮御宇　天皇皇后并皇太子、奉造請坐者、
合菩薩像八帳並画像
即四天王像四躯　在仏殿
右淡海大津宮御宇　天皇奉造而請坐者、
壖四天王像二具　在南中門
右天平十四年歳次壬午寺奉造
即宍色菩薩二躯　即羅漢像十躯
即八部像一具　並在仏殿
右天平十四年歳次壬午寺奉造

羅漢画像九十四躯　金剛力士形八躯
梵王帝釈波斯匿王毗婆沙羅王像並在金堂院東西廡廊中門
右平城宮御宇　天皇、以天平八年歳次丙子造坐者、
合一切経一千五百九十七巻部帙巻数如別録二巻
右平城宮御宇　天皇、以養老七年歳次癸亥三月廿九日請坐者、
合部足経一百十五部　之中百十四部人々坐奉
金光明経一部八巻
右飛鳥淨御原宮御宇　天皇以甲午年請坐者、
合雑経五百七十二巻　之中百七十二巻人々坐奉経名如別録
金剛般若経一百巻
右飛鳥淨御原宮御宇　天皇以甲午年坐奉者、
合律八十八巻　別名如記
合論疏玄章伝記惣十六部卅七巻　部足論十一部、疏玄章別記合四部十四巻、別巻論卅二巻、別名巻数如別録、
合典言四巻　書法一巻
聖僧一躯
合見前僧捌佰捌拾漆口　僧四百七十三口沙弥四百十四口

大安寺の仏像

大安寺の縁起、創建のいきさつや由緒の次に記されているのが、お寺にある仏像。ここからが大安寺の財産台帳になります。

まず、「合仏像玖具　壱拾漆躯　丈六即像弐具」、続けて「右淡海大津宮　御宇天皇奉造而請坐者」とします。「丈六」というのは一丈六尺（約四・八メートル）、お釈迦さまの背丈が常人の倍、一丈六尺あったという信仰に基づくもので、立像ならば丈が一丈六尺の仏像、座像ならば立てば丈六になる八尺の高さの仏像ということで、即像とは、麻布を漆で固めた乾漆像のことです。大安寺には仏像九具（九セット）、十七体の仏像があって、このうちの丈六の即像二具（二セット）は、淡海大津宮御宇天皇（天智天皇）が造られたものと理解できます。大安寺の金堂本尊は乾漆の釈迦三尊像であることが知られ、丈六仏はその大きさからも本尊クラスの仏像であり、ここに記された丈六即像二具は金堂と講堂の本尊と考えるのが妥当のようです。天智天皇が造った釈迦三尊ですので、金堂本尊は百済大寺から高市大寺を経て大安寺に伝えられた仏像であったようです。

『資財帳』では員数を記す数字も大事なところは「玖」、「壹」、「拾」、「漆」、「貳」といった「大字」を使っています。単純な漢数字を使うと、片仮名と混同したり、「金一万円」に縦棒を加えて「十万円」にしたり、横棒を加え「二」や「三」に簡単に改竄できるからです。「一万円札」には今でも「壱（壹）万円」と書かれています。これも奈良時代には公式令という法律で定めており、正倉院に残る戸籍や正税帳（国家の倉庫の出納簿）なども、これに従って「大字」が使われています。壹（一）、貳（二）、参（三）、肆（四）、伍（五）、陸（六）、漆（七）、捌（八）、玖（九）、拾（十）、佰（百）、阡（千）ということになります。

続く「金涅銅像一具」は造られた時期不明。「涅」は「塗」の意味で、ここでは鍍金した金銅仏のこと。古代の鍍金方法では金を水銀に溶かしたアマルガムを製品に塗り、水銀を蒸発させて金メッキしています。金銅仏は飛鳥時代に多く、この像も前身の百済大寺あるいは高市大寺の仏像のものであった可能性が考えられます。金堂、講堂の順に仏像が記されたのであれば、食堂の本尊であった可能性も考えられます。

「宮殿像二具」は厨子で、ひとつは千仏像、ひとつは三重千仏像とします。厨子内に化仏として多尊仏を取り付けたものとみられ、三重のものは厨子が三重の楼閣風になっていたのではないでしょうか。続いて「金涅雑仏像参具、木葉形仏像一具、金涅灌仏像一具、金涅雑仏像三躯、金涅太子像七躯、金涅菩薩像五躯」と続いており、金泥灌仏像一具は灌仏会の金銅釈迦誕生仏であることがわかりますが、金涅雑仏や金涅菩薩像は金涅銅像とは書いておらず、金銅仏なのか木彫仏や乾漆像に金箔を貼ったものなのかはわかりません。

木葉形仏像もよくわかりませんが、木葉形の光背をもつ立像なのでしょうか。

巨大な繍仏

仏像の次に挙げているのは「合わせて繍仏像参帳」。刺繍の仏像です。一帳は高（縦）が、二丈二尺七寸。広（横）が二丈二尺四寸でほぼ正方形になります。奈良時代の一丈（一〇尺）は約三メートルですから二丈というと約六メートル、縦横六メートル七〇センチぐらいの大きな刺繍仏が掛かっていたのですね。あとの二帳も高さ二丈ですから約六メートルですね。その図像と由来を記しており、一帳は脇侍や菩薩、八部衆など三十六像を仏の周りに配したもので、お釈迦様の霊鷲山（りょうじゅせん）での説法、霊山（りょうぜん）浄土を描いたものとみられます。これは「袁智天皇（おちのすめらみこと）」が難波宮におられた庚戌年（六五〇年）冬の十月に造り始め、辛亥年（六五一年）春三月に完成したもので、寺がいただいたものと記しています。『日本書紀』に記される白雉元（六五〇）年十月に「始めて丈六の繍像（ぬいもののほとけ）・俠侍（きょうじ）・八部等の三十六像を造る」、翌二（六五一）年の春三月朔の「丈六の繍像等成りぬ」の記事と合致し、書紀では続いて、戊申（十五日）に「皇祖母尊（すめみおやのみこと）、十法師等を請（ま）せて設斎（おがみ）す」とあって、皇極太上天皇によって供養されていることがわかり、袁智天皇とは夫である舒明天皇の百済大寺造営を受け継いだ皇極天皇（太上天皇）で、この大安寺にあった巨大な繍仏は大安寺の前身である百済大寺に納められたものが伝えられたものと考えることができます。また、金堂本尊である乾漆釈迦如来三尊が天智朝に作られたものであるならば、この巨大な繍仏像はそれ以前の製作で、この繍仏が百済大寺の金堂本尊であったとも考えられます。奈良国立博物館が所蔵されている奈良時代の国宝の「刺繍釈迦如来説法図」は縦が二メートル一一センチ、横幅が一メートル六〇センチ、唐からの将来品とする説がありますが、菩薩像などは法隆寺金堂壁画と共通するところもあり、七世紀末から八世紀初めの作品である可能性も指摘されており、今は無き大安寺の繍仏の様相はこの図から偲ぶことができます。

同じ大きさの繍仏二帳は「大般若四処十六会」と「華厳七処九会」というお釈迦様の説法のようすを描いたものらしく一対になっているようで、天平十四（七四二）年に十代天皇の為に大安寺の造営に関わった道慈と寺主の教義らが造ったものとしています。十代の天皇とは縁起に語られる舒明・皇極・斉明・天智・天武・持統・文武・元明・元正の先帝と今上の聖武天皇なのでしょうが、ここでもこの舒明王家との関わりが強調されています。

次の「織絨仏像一帳（しょくじゅうぶつぞう）」というのは織物、図様を織り成したもの。「當麻曼荼羅」と同じ綴織（つづれおり）であったかどうかわかりませんが、「當麻曼荼羅」は、縦三メートル九六センチ、古代の巨大で精緻な織仏が現在まで残る稀な例です。次に「画仏像六帳」があげられ、その

刺繍釈迦如来説法図（国宝・奈良国立博物館蔵）

次の「繍菩薩像一帳」（ぬいもののぼさつ）は丙戌年（六八六年）七月に浄御原御宇天皇（天武天皇）のために皇后（後の持統天皇）と皇太子（草壁皇子）が造ったものだとしますので、高市大寺（天武朝の大官大寺）から伝えられたものとみられます。『日本書紀』には朱鳥元（六八六）年の七月にある「諸王臣等、天皇の為に観世音像を造れり。すなわち観世音経を大官大寺に説かしむ」の記事と合致します。

その後にも「菩薩像八帳　並画像」と記され、我々が仏像として考えている立体的な木造仏や乾漆仏、金銅仏以上にたくさんの刺繍仏、織仏、絵仏が古代寺院にあったことがわかります。

その次は「即四天王像四躯」、「即」ですので、乾漆像。仏堂（金堂）に在って、淡海大津宮御宇天皇（天智天皇）が奉造したものとしていますので、本尊の釈迦三尊像の周りの四天王像であるとみられます。次が「⿰土聶四天王像二具」、「⿰土聶」（しょう）は塑像のことで、これは南中門にあるとし、天平十四（七四二）年に寺が造ったもの。二具、二セットとしていますので、「南中門」は「南門（南大門）」と「中門」を指すのかも知れません。奈良市埋蔵文化財調査センターが行った大安寺南大門の発掘調査で出土している塑像天王像片がこの像の一部なのでしょう。

その次に書かれているのは、「即」、乾漆像の宍色（しし（にく）いろ）菩薩二躯、羅漢像（十大弟子）十躯、八部衆一具です。これは仏殿（金堂）のもので、これも天平十四年に寺が造ったもの。金堂には天智朝の乾漆釈迦三尊像と四天王像があり、天平十四年に菩薩二体、十大弟子、八部衆が加えられ、建築史の足立康（あだちこう）先生はこれらを霊山（霊鷲山）浄土を表現したものと考えられました。巨大な繍仏像も霊山浄土を描いたものであり、金堂の仏像群は繍仏像の図像を立体化させたとみてよいでしょう。

「羅漢画像九十四軀、金剛力士形八軀、梵王帝釈　波斯匿王（はしのくおう）　毗婆沙羅王（びんばしゃらおう）像」が金堂院の東西回廊中門に並んで在りとしていますので、回廊に羅漢像、金剛力士像、梵天・帝釈天像、供養者としての波斯匿王像や毗婆沙羅王像などの壁画が描かれていたと考えられます。大安寺の回廊は複廊で、中央列の柱間を復元すると、五十二間あり、その内外面にこれらの像が描かれていたとみられます。波斯匿王は天竺舎衛城のコーサラ国王プラセーナジットで仏教の擁護者。毗婆沙羅王は王舎城のマカダ国王ビンビサーラ王で、これも釈迦に帰依し、お経にも出てくる古代インドの王様です。これらは供養者として回廊の内側、釈尊の坐す金堂に向いて描かれていたのではないでしょうか。これらの壁画は天平八（七三六）年に平城宮御宇天皇（ならのみやにあめのしたしらしすめらみこと）（聖武天皇）によって造られたものとしています。

大安寺で重要な仏は乾漆（即）の「丈六仏二具」と「繍仏像参帳」であると言えます。丈六仏二具が金堂と講堂それぞれの本尊で、六メートルを越える大きさをもつ繍仏像も奉懸可能なのは金堂と講堂です。仏像と繍仏像がどのように組み合わされて祀られていたのか、繍仏像は法会の時だけに奉懸されたのかどうかがわかりませんが、皇極天皇や天智天皇が造った百済大寺の仏が大安寺の中心仏であったことが注目されます。

経典と僧侶

『資財帳』には仏像の次に経典と僧侶の数。仏教の根幹である「三宝」を仏・法・僧の順に記しています。

お経は「合わせて一切経一千五百九十七巻」。一切経は大蔵経とも呼ばれ、「経」・「律」・「論」の三蔵とその注釈書の「疏」を含む経典の総称で、たぶんこれが経蔵（経楼）に収められていたとみられる大安寺の基礎蔵書で、「平城宮御宇天皇（元正天皇）」が養老七（七二三）年癸亥三月廿九日に寺に備えたものとしています。金光明経や金剛般若経は甲午（六九四）年に飛鳥浄御原御宇天皇（持統天皇）が寺に備えたもの。これは『日本書紀』の持統天皇八年五月十一日に金光明経百部を諸国に送置し、年毎の正月上玄（上弦・月の上旬七日頃）に必ず読ましめたという記事に合致します。このように天皇が関わる重要な経典の由来を明記しています。

また、「見前」現在の僧の数は捌佰捌拾漆口（八百八十七人）。内訳は得度を受けた正規の僧が四百七十三口（人）で、沙弥という免許の無い見習い僧が四百十四口（人）。同じ年の『法隆寺縁起并流記資財帳』（以下「法隆寺資財帳」）は二百六十三人（僧百七十六・沙弥八十七）ですので、法隆寺などよりも格段に多いことがわかります。また、僧侶の数の前に「聖僧　一躯」とありますが、これは架空のお坊さんの像。現在、十六羅漢の第一尊者とされる賓頭盧尊者（びんずるそんじゃ）の像が、お寺のお堂の前に置かれ、「おびんづるさん」を撫でると病が治るというので、「撫で仏」となって、てかてかになっておられますが、中国ではこの像なども、食堂（じきどう）に安置し祀っていた聖僧で、法隆寺の経楼に祀られている伝観勒像とされる像もこの聖僧像とみられます。こうした聖なる仏弟子、お坊さんの大先輩とされる像が古代寺院にはあり、僧侶たちや仏像と同等に扱われていたようです。資財も、聖僧分として、この聖僧に所属するものがあります。

四　大安寺の資財2――財物

合金伍佰弐拾壱両壱分

練金四百五十両　仏物四百廿五両　菩薩物十両　僧物二分　通物十四両二分

生金九両二分　仏物七両　菩薩物一両　温室物一両　僧物二分

沙金并消金六十一両三分　仏物沙金卅八両一分　通物消金十六両三分

通物沙金六両三分

合銀玖佰弐拾玖両三分　仏物百七十三両　法物百九両二分　菩薩物九両一分

悲田分物二百五十六両　通分物三百八十二両

銀墨弐分　通物

合金鉢参阡漆佰伍拾枚　通物

合銀鉢参阡弐佰弐拾枚　仏物一千九百枚　通物一千三百廿枚

合銀銭壱阡伍拾参文　仏物八百八十六文　之中九十二文古　菩薩物廿三文　四天王物六文　聖僧物百卅八文

合水銀弐佰参拾壱斤伍両　通物

合白鑞壱阡玖佰弐拾壱斤拾伍両　小　肆拾斤陸両　大

合銅伍万弐阡参佰陸拾弐斤　小　生銅五万一千六十二斤
百十斤八両仏物

五万九百五十一斤八両　通物　練銅五百九十斤　通物
熟銅三百廿七斤　通物　悪荒銅三百八十三斤　通物

合鉄壱佰伍拾陸廷(挺)　通物

合鍬陸佰陸拾漆口　通物

合銭陸仟肆佰漆拾参貫捌佰弐拾弐文

仏物銭二百卌五貫二百六十五文　修多羅衆銭一千六百六十八貫六十一文　法物銭一貫一百文
三論衆銭一千一百十貫八百五十文　律衆銭一百七十九貫四百五十五文　摂論衆銭五百廿一貫九百卌二文
別三論衆銭三百十八貫五百六十四文　涅槃分銭卌二貫文　華厳分銭十八貫文　盂蘭盆分銭十七貫五百一文
木叉分銭廿四貫四百八十三文　菩薩分銭一貫九百九十八文　聖僧物銭廿八貫一百九十文　功徳天女分銭六十文
四天王物銭十六貫三百卌六文　八部物銭五百文　塔分銭一貫七百五十九文　箜篌分銭一貫六百文
燃燈分銭廿四貫五十文
温室分銭一百三貫四百九十文　功徳分銭一百三貫七十三文　義物銭五貫三百七十二文　悲田分銭二百五十三貫十九文
衣田分銭二百廿八貫六百卌五文　見前僧物銭三百廿七貫九百七十七文　通分銭一千二百卌貫五百廿二文

合供養具弐拾口

仏供養具十口　白銅鉢一口　白銅多羅二口　白銅鋺七口
匙一枚　箸一具

聖僧供養具十口　白銅鉢一口　白銅多羅二口　白銅鋺七口
匙一枚　箸一具

右平城宮御宇　天皇以養老六年歳次壬戌十二月七日納賜者、

合鉢参口　白銅二口之中　仏物一口
　　　　　鉄一口　　　　聖僧（物脱カ）

合鋺弐佰参拾弐口
仏物二百十八口　之中全金一口　重七両一分　銀十五口
重合十三斤三分　白銅二百一口　金渥銅一口　菩薩物一口
聖僧物三口　通物十口　之中一口銀

合多羅陸拾捌口
仏物卅一口　之中銀三口　重合十六斤十五両　聖僧物二口小　菩薩物一口　通物三口　温室分物卅口小

合飯鋺壱拾口　仏物七合
　　　　　　　聖僧物三合

合塔鋺弐拾肆口　仏物廿合　聖僧物二合
　　　　　　　　通物二合

合白銅大盤伍口　仏物三口
　　　　　　　　通物二口

合白銅漿鉢弐口　仏物

合壺壱拾参口　仏物九口之中銀五口　合重四斤十三両三分　一口水精
　　　　　　　二口白銅　一口金渥　温室分物四口　之中二提壺

合酌漆柄　仏物六口　之中四口金渥
　　　　　通物一口

合水瓶肆拾伍口　仏物卅六口　之中二口漢軍持　三口胡軍持
　　　　　　　　十九口棗瓶　十一口柘榴瓶　一口洗豆瓶
菩薩物一口　通物四口
木叉分物四口

合香杯参拾漆合　仏物卅六合　之中一合　銀重一斤三両三分
　　　　　　　　通物一合

合香炉弐拾肆具
仏物十八具之中　一具銀重三斤十両二分　一具鍮石　一具牙
一具赤銅　十三具白銅　法物一具鍮石
常住僧物一具
高麗通物四具

合単香並香鑪并其盤弐拾弐口　仏物単香十六具
常住僧物香鑪四合　其盤二口

合鍾肆口　仏物二口之中一口白銅　一口銅高各八寸
法物二口之中一口高一丈(マヽ)尺口径七尺　一口高四尺一寸口径二尺

合磬参枚法物

合鏡壱阡弐佰漆拾伍面
仏物一千二百七十面　之中　花鏡二百五十九面　円鏡二百八十四面　方鏡六面　鉄鏡七十一面　雑小鏡六百五十面
菩薩物二面並円鏡　通物三面

合合子参拾捌合
仏物廿七合　之中　銀三合重十二両一分　金涅一合　白銅十八合　木五合　聖僧物十一合並白銅

合匙参拾壱枚
仏物廿九枚　之中　銀木葉匕三枚　白銅窪匕十四枚　木葉匕七十二枚　聖僧物二枚木葉

合鐯拾弐具　仏物十一具
聖僧物一具

合火炉壱拾漆口

仏物十口之中三口金涅　法物一口　温室分一口　通物五口　之中二口　一口白銅　二口銅

合鉄炉陸口　並通物

合錫杖肆枝　二枝白銅頭　二枝銅頭
之中一枝無茎　並仏物

合誦数弐拾玖貫
五貫水精　一貫牙　一貫銅　一貫銀　一貫菩薩樹数五十三丸
二貫新羅　十五貫白檀　二貫琥珀　一貫水精琥珀交並仏物

合釜参拾参口
銅十口　之中一口足釜　一口懸釜　一口行竈　鉄廿二口　之中七口在足並通物　鉄一口温室分

合銅斗并升参口
斗二口　之中一口入水二斗　一口入水一斗　外一口並通物

合銅井樽弐口　通物

合鈴肆佰陸拾漆口　並仏物

合朱沙壱佰参拾弐斤壱分　仏物一百廿三斤十二両
通物八斤四両一分

合金青玖斤玖両　仏物二斤八両
通物七斤一両

合緑青弐拾伍斤拾両参分　仏物

合白緑肆斤陸両　通分

合空青壱拾壱両　通分

合胡粉玖拾漆斤壱拾弐両参分　仏物九十斤十四両　通物六斤十四両三分

合丹参斤漆両　仏物二斤四両　之中六両唐　通物一斤三両

合烟紫弐拾枚　仏物

合雌黄壱両　仏物

合紺青壱斤肆両　仏物

合甘草壱佰参拾斤　見前僧物

合太黄壱斤弐両壱分　見前僧物

合調絁陸佰肆拾参疋半端弐拾弐條　仏物一疋　通物六百卅二疋半端廿二條

合交易絁伍佰捌拾疋端弐拾玖條

塔分物二匹　功徳分十匹　見前僧物二百四匹　通物三百六十四疋廿九條

合糸壱阡参佰伍拾弐約伍両弐分

仏物五十九約　聖僧物七十二端(マヽ)　功徳分物三百七十四約　八部等物二約　通物八百卅五約五両二分

合交易絲壱阡参佰漆拾斤壱拾参両二分

仏物五斤　盂蘭盆分一百八斤　聖僧物十一斤　見前僧物四百六斤十四両　衣田分物六両二分　通物八百卅九斤九両

合綿伍佰捌拾捌屯畳綿参牒

調四百九十九屯　之中仏物十一屯　八部等物一屯　悲田分二百卌三屯　通物二百五十四屯　庸八十九屯
之中仏物十七屯　法物六屯　聖僧物八屯　悲田分十九屯　衣田分黒卅屯　畳綿三牒　功徳天物一屯　温室分四屯
塔分物四屯

合交易綿弐阡肆佰肆拾肆斤参両

仏物十九斤　法物一斤　聖僧物七斤　見前僧物三百廿五斤五両　通物二千九十一斤十四両

合細布弐佰漆拾弐端弐拾弐條

仏物一端　衣田分二端　悲田分十二端　通物二百五十七端廿二條

合長布参阡陸佰肆拾玖端伍拾伍條

仏物十六端　四天王物二端　温室分十二端　衣田分黒六十六端
悲田分卅端　之中黒十九端　望陁十一端　長布端二條
通物三千五百廿三端五十三條

合庸布肆佰伍拾弐段壱常

温室分十段　通物四百卌二端一常

合交易布弐萬壱佰捌拾伍段伍拾玖常参拾肆條

仏物十四段　見前僧物五百卅一段二常端一條　功徳分卅三段六常　盂蘭盆分十六段一常十尋　悲田分三段
通物一万九千五百八十八段　短布五十常端廿三條

合紺布壱拾捌端

仏物二端
通物十六端

合朱芳弐佰壱斤

仏物四斤二両
通物一百九十六斤十四両

合麝香壱齊（劑）又壱筒　重二両二分　並仏物

合白檀弐斤捌両参分　仏物

合沈香伍拾玖斤壱拾伍両　仏物五十九斤九両
法物六両

合浅香弐拾玖斤陸両参分　仏物廿四斤　十四両三分
法物四斤八両

合薫陸香壱伯漆拾壱斤玖両弐分

仏物一百廿一斤　法物十七斤八両二分　通物卅三斤

合丁子香壱斤捌両　仏物

合衣香拾両　仏物

合百和香壱丸　小　仏物

合青木香漆拾伍斤拾伍両　仏物七十三斤二両
法物二斤十三両

合零陵香壱斤陸両　法物

合蘇合香弐両　法物

合甘松香壱斤肆両　法物

合藿香弐斤捌両　法物

合蠟蠋肆拾斤捌両　通物

合灌頂幡壱拾弐具

組大灌頂一具
右前岡本宮御宇　天皇以庚子年納賜者、
繍大灌頂一具
右飛鳥宮御宇　天皇以癸巳年十月廿六日、為仁王会納賜者
秘錦大灌頂一具
右平城宮御宇　天皇以養老六年歳次壬戌十二月七日納賜者
灌頂九具
　右人々奉納
合宝帳肆帳　仏物　紫羅一張　菩薩物横宝帳一（マヽ）著牟田
通物二帳　之中一魯帳　一班帳
合蓋弐具　各著小幡四頭
並法物
合小幡弐佰壱拾参頭
仏物八十五　之中廿八羅　一唐綿　廿八紫　廿八緑　法物百廿八　之中一百唐羅　廿八四色綾
合机敷物漆條　仏物五條　之中一表緑　裏浅緑　四表緑裏布
法物錦褥一（之カ）通物紫羅一
合花覆壱拾参條　仏物四足中　三紫紗　一緑羅　法物九
之中五紫　一赤　一黄　一緑　一浅緑
合机帯弐拾條　仏物二條緑　法物十八條　之中
十二緑　二紫　二縹　二帛
合丈六覆帛絁弐拾漆條　五丈以下　七尺以上
並仏物

合仏張柱裏布参端　二長各五丈　一長四丈　並仏物

合火炉坐敷物弐條　仏物一條　表錦裏緑　法物一條　秘錦

合袈裟壱拾壱領　仏物六領　之中一納　四七條　一五條　法物五領　之中二納　三七條

合坐具弐拾伍枚　仏物十八枚　法物五枚　菩薩物一枚　聖僧物一枚

合衣陸領　男三領　之中一袷緑綾　二単高機緋　女三領　之中一斑綾　二緋綾　並仏物

合織脛纏弐條　仏物

合緂帛肆疋参丈捌尺　三丈八尺唐　緋綾　三疋黄　一疋浅緑　並仏物

合高麗八部捌床　法物一床　長九尺四寸　通物七床　長各六尺六寸

合秘錦参床　仏物一條　長二尺広一尺三寸　通物二床之中　一長八尺七寸　一長八尺五寸

合錦参條　仏物二條　之中一長五尺　一長二尺三寸　並雲幡錦　通物一條　長四丈三尺五寸　陰馬錦

合厨子玖合　仏物二合小　法物一合　通物六合

合韓櫃捌拾肆合　仏物十八合　法物七合　功徳分一合　温室分物四合　悲田分七合　通物卌七合

合赤檀小櫃壱合　着金渥鑷子　仏物

合四角機匣壱牒　仏物

合漆渥円牒子壱合　壺二口　之中一馬瑙　一瑠璃　入白玉四丸如椹実　仏物

合皮筥弐拾合　仏物

合草筥弐佰弐合　仏物七十六合　法物卅六合　通物九十合

合雑琴弐拾伍面　琵琶十面　箏琴六面　琴四面　並仏物

合笙参管　仏物

合屏風壱拾玖牒　仏物一牒　温室分九牒　通物九牒

合机壱拾肆足　仏物五足　法物九足

合安几弐足　法物

合麈尾参枚　法物二枚　通物一枚

合如意壱拾陸枚　仏物十三枚　木叉分三枚

合脇息弐足　仏物

合籌壱具　木叉

合船壱拾壱口　木叉分五口　温室分六口　之中一大

合経台肆足　並法物

合経嚢壱拾口　法物

合持蓋壱具　仏物

合帯壱拾壱條　仏物十條　之中五金作　一高麗錦　一銀作　三黒作　通物一錦銀鏤

合頭形弐口　師子頭一口　虎頭一口　並仏物

合囊壱拾玖口　法物十一口　四天王物八口

合桴綱壱拾陸條　通物

合裳参腰　二腰纏　並法物　一黄褐

合被弐條　一紫羅　一赤紗　並法物

合偏袒弐領　並纏　法物

合手衣壱具　法物

合巾弐條　法物一木形錦　塔分一條

合褥弐拾壱床　菩薩物一床　常住僧物一床　通物十九床

合沓弐足　仏物一足　線鞋　法物一足　緋

合雑絁端壱拾壱條

仏物五條　之中紫綾長五尺三寸　四帛絁　法物五條　之中一紫絁長五尺七寸　三緑絁長各二丈　一帛絁長一丈五尺

一悲田分物絁端長二丈四尺

合織絨并氈弐拾捌床

仏物織絨一床　法物高麗織絨一床　通物廿六床　之中三床織絨　六吉氈　十七悪氈

合種種物覆弐拾参條

仏物十五條　之中一黒緑　七紫　七緑　法物七條　之中一切経緑覆五條　交縫紗帳二條　菩薩赤綾一條

合種種物袋弐拾捌口　仏物廿口　之中坐袋二口　屏風袋十六口
宝頂袋二口　温室分屏風袋八口

合衣屛肆條　二條各卅副表紺、裏緋、二條各七副半　表裏如上　並通物

合垣代帳陸條　四條表紺、裏緋、一條十一副　一條廿三副　並通物

合綱漆拾玖條　仏物布綱一　法物八條　之中一赤糸縄　七緋緫(綱)
燈炉綱廿條　通物布綱五十條

合絁帳弐拾張　仏物十張　之中緑二張　帛八張　温室分物赤帛一張
常住僧一張　通物　橡帳八張

合布帳参拾参張
仏物五張　之中四細布一長布　温室分十張　之中一細布九長布
菩薩物二張並細布　四天王物三張　常住僧物一張長布　通物十二張之中細布六長布六

合塔分古帳長布壱佰捌拾玖端　紺布五十五端
白布一百卅四端

合鎧参具　一具漆渥　二具白作
並通物

合大刀并横刀陸拾柄　大刀卅柄　横刀廿九柄
杖刀一柄　並仏物

合小刀弐佰玖拾玖柄　仏物

合弓壱拾弐枝　仏物

合胡(マヽ)祿漆口　仏物

合箭肆拾玖隻　仏物

合鉛弐柄　仏物

合鉞参柄　仏物
合鉾玖柄　仏物
合雑物弐拾捌種
全金玉参丸　重二両
銀鑠壱條　長一尺二寸
鎊銀壱文
銀烏敏壱
玉忩曲参口
金涅鐃陸枝
画亀甲枕壱　裏白檀
牙口脂壺弐拾壱合
位冠弐拾捌　赤
赤糸組壱條　長四丈六尺
白玉壱佰参拾伍丸　一如椹実
玉弐貫　一全金白玉水精紺玉等　一白玉紺玉等
紺玉肆佰肆丸　仏物八丸　通物三百九十六丸

銀玉玖丸
銀爵壱枚
銀髪刺参
銀墨研壱
金涅杖壱枝
鏡台肆足
浅香礒形壱　在白鐍鳥三　重一斤六両
牙爵拾枚
鏡懸絲壱拾参條
水精玉壱佰弐拾壱丸
白玉水精青玉琥等玉壱裹
青玉玖佰壱拾伍丸　以上仏物
縹玉壱裹　重五両二分

又縹玉伍佰丸　以上通物　　宍色菩薩天冠銅弐枚

合大般若会調度

額捌條　一條仏殿前繡　一條中門　二條東西小門　四條東西廡廊　　緋絁帳壱條

仏懸緑綱肆條　　細布帳壱張

紺布帳陸張　　仏懸横木弐枝

布縄壱拾参條　　高座弐具

経台弐足　　礼盤坐弐具

机陸足　　布巾参條

火炉机弐足

簾弐枚

合大唐楽調度

羅陵王壱面　　倭胡壱面

老女壱面　　咲形弐面　以上並衣具

虎頭壱口　　雑色衣参拾領

雑色半臂参拾参領　　帛汗衫壱拾弐領

帛袴壱拾弐腰　　金作帯参條

靴沓参両
合伎楽弐具
　右一色、平城宮御宇　天皇以天平二年歳次庚午七月十七日納賜者
以上資財等、天平十八年本記所定、注顕如件

「仏法僧」を書き上げた後は、金、銀、銅など寺有の金属の地金・銭、顔料、染料や薬品、糸、綿、布などの繊維製品、数珠、錫杖、香炉などの仏具、楽器、衣類家具調度、釜や鉢、鋺（わん）、匙、箸などの日用品に至るまでの寺の財物、動産を細かに書き上げています。これらは、仏物、菩薩物、僧物、通物など、その所属が書かれており、通物の「通」は広く行き渡る、寺内共通して使用するものという意味のようです。

金・銀・銅

まず、「金」。我が国では、七世紀、飛鳥時代を通じて、金や銀などの貴金属を基軸とする価値体系が成立していったようですが、財物として、やはり金を最初にあげています。

金は合わせて五百二十一両一分。奈良時代の重さの単位は斤・両・分、四分が一両、十六両が一斤で、大両とその三分の一の小両という二種類の単位があり、金属や穀物など

は大両、薬などは小両を使って計ることとしていましたが、しだいに大両に統一されていったようです。正倉院宝物の銀器に刻された重量からみると、大両の一両は四二グラム。金は金属ですが、貴重品ですので、単位が小両なら、小両一両は一四グラムぐらいですので、七・三キログラムほどの金を保有していたことになります。金の地金など買ったことがないのですが、現在、一グラムで五千円ほどするそうですが、そうすると、三千六百五十万円ということになります。単位が大両であれば、三倍の約一億九百五十万円になります。

「法隆寺資財帳」に記された金は一両一分ですので、大安寺が大量の金を保有していたことがわかります。内訳の「練金」というのは、水銀に金を溶かした金アマルガムと見る説もありますが、こなれた金、精錬した金とみられます。「生金」というのは未精錬で、不純物の混じった金、「沙金」は砂金、「消金」というのは溶かした金、これが金アマルガムではないでしょうか。

銀は九百二十九両三分で、「悲田分物　二百五十六両」とありますが、悲田というのは仏教の説く「三福田」のひとつ（他の二つは敬田と恩田）で、慈悲によって貧者や病人を救うことにより、福を得る田という意味で、救済経費に充てる分です。「銀墨」も銀に含めていますが、これは銀粉を膠で固めたもので、彩色に使うものです。「金鉑」、「銀鉑」の「鉑」は「箔」のことで、数量が枚になっています。

次が「銀銭」。和同開珎の銀銭とみられますが、和同銀銭は和銅元（七〇八）年に銅銭に先立って発行されたのですが、翌年には廃止されています。銀地金の価値で保有しているらしく、和同銀銭は約五グラムの重さをもっています。銀銭は仏物八百八十六文とあって、「之中九十二文古」としています。「古」としているものは、七世紀代の遺跡を中心に出土する所謂「無文銀銭」を指している可能性もあるかと思います。「無文銀銭」の重さは約一〇グラム、和同銀銭の倍ほどあり、わざわざ注記しているのかもしれません。

その次が「水銀」で、水銀は当時、仏像などの金メッキには必要不可欠なもので、二百三十一斤五両。一斤は十六両ですので、小両でも五一キログラム、大両なら一五五キログラムということになります。

「白鑞（しろきなまり）」、これは錫とされますが、アンチモンだとする説もあります。銅は「生銅」、「練銅」、「熟銅」、「悪荒銅」に分けています。鉄の単位は重さでなく、「廷」になっています。鉄素材は古墳時代以来、長方形の鉄板、「鉄鋌」で流通していたことがわかります。平安時代の法律書『延喜式』では一廷は鉄大斤で三斤五両（約二・二キログラム）としています。続くのが「鍬六百六十七口」、一口は鉄三斤（約二キログラム）、鉄製の鍬先ですが、すべてが農作業等に使われたのではなく、交換可能な財物、現物貨幣でもあったので、他の金属地金とともにここに書き上げられたとみられます。鍬は当時の官人のボーナス、季禄としても支給されていました。

　金属、最後の銭は「六千四百七十三貫八百二十二文」。寺内の学派への配当、行事や法要に要する経費、維持管理費などの内訳があり、この部分は予算書のようになっています。銭は和同開珎、和同銭ですが、和同開珎の価値は、発行当時なら一文でお米が一・八キログラムぐらい、買えました。お米が現在、一〇キログラムの袋入りで三千五百円とすると、一文で六百三十円ぐらいの値打ちがあったのですが、天平頃なら物価も上がり、一文は百三十円ぐらい。一貫は千文ですので、六百四十七万三千八百二十二文というのは、今の八億四千万円ぐらいに相当します。「法隆寺資財帳」に記載されている「銭三百五十二貫八百三十二文」の約十九倍です。

平城京出土の和同開珎

　平安時代初期の仏教説話集、『日本霊異記』には、聖武天皇の御世に大安寺の西、左京六条三坊に住む楢磐嶋が、大安寺の修多羅分の銭三十貫を借りて、越前の都魯我（敦賀）の津に行き交易した。大安寺の沙門弁宗は、寺の大修多羅供銭三十貫を借用し、返済できなかったので、長谷寺に行き、観音の手に縄を掛けて銭の入手を祈願した。大安寺の西に住む貧女は大安寺の丈六釈迦仏（本尊）に祈り、寺の成実銭（じょうじつ）四貫を与えられたといった話があり、奈良時代の大安寺では、銭の貸付を行っていたことがわかります。この大安寺が保有する多量の備蓄銭は金融資本であり、利潤の増殖結果とみられます。

供養具と仏具

供養は仏に尊敬をもって、懇ろ（ねんご）に香華（こうげ）、灯明（とうみょう）、飲食（おんじき）などを捧げることをいいますが、ここでは飲食を供える、御仏供（おぶく）、御仏飯（おぶっぱん）の器（うつわ）です。供養具は合わせて二十口、白銅の鉢一・多良（皿）二・鋎（鋺）七・匙一・箸一がセットで二〇セットあり、半分の一〇セットずつが仏と聖僧に所属しています。「白銅」は、現在はニッケル合金で、百円硬貨や五百円硬貨ですが、奈良時代の白銅は、錫と銅の合金、青銅よりも錫の含有が高く、白銀色のものをこう呼んでいます。「佐波理（さはり）」とも呼ばれます。奈良時代の食器は金属器が最高級で、漆器、木器が続き、土器は儀式用とみられます。これらは平城宮御宇天皇（元正天皇）が養老六（七二二）年十二月七日に納め賜ったものとその由緒を記しています。『続日本紀』によれば、この養老六年の十一月十九日に元正天皇は、母である元明天皇一周忌の供養を発願し、「灌頂幡八百、道場幡一千、象牙張の漆机三十六、銅鋺器百六十八、柳箱八十二を造って、十二月七日に京畿内の諸寺で僧尼二千六百三十人に御斎（食事）を設けよ、」と命じていますので、この時の寄進に該当します。

次が「鉢　三口」これはお坊さんの托鉢(たくはつ)、頭陀(ずだ)行としての乞食(こつじき)行に持ち歩いた尖り底の鉢ですが、仏前に備える御仏飯の器として供養具にも使われます。白銅製が二口で一口は仏物、鉄鉢は聖僧物としています。

「鋎」は鋺(わん)、「かなまり」で、二百三十二口。二百十八口は仏物で金製の椀がひとつ、銀製が十五、白銅製が二百一、鍍金した金銅椀がひとつ。金と銀は地金としての価値を重視し、その重さも記しています。銀製のものは通物の中にもひとつあります。

「多羅」は皿、このなかにも三口の銀製のものがあります。温室分の「温室」は湯屋、浴室に所属するものもあります。「飯鋎」は飯椀でこれも御仏供の器です。

「塔鋎(とうまり)」は正倉院宝物にもありますが、塔の相輪形のつまみを持つ合子(ごうす)、香を入れる香合です。「大盤」は大皿、「漿鉢」はお粥や重湯を入れる鉢とされます。

塔鋎（正倉院宝物）

「壺」にも銀製のものが五つ、水精(水晶)のもの、金銅製のものがあり、温室に所属する二口は取っ手が付いた提壺です。「酌」は柄杓(ひしゃく)、柄は漆塗りで、四つは金銅製だとわかります。

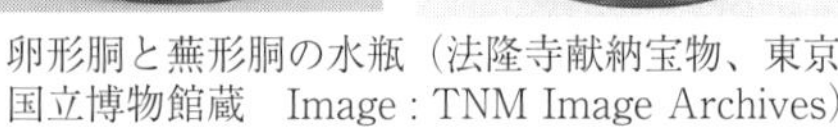

卵形胴と蕪形胴の水瓶（法隆寺献納宝物、東京国立博物館蔵　Image : TNM Image Archives）

「水瓶」は比丘、お坊さんが持つべき「十八物」のひとつで、飲料水や手洗い水用の壺です。「漢軍持」、「胡軍持」とありますが、「軍持」はサンスクリット語の「グンディ」、水瓶のことです。中国風の水瓶、西方風の水瓶という意味のようですが、どんな形をしたものを指すのかわかりません。「棗瓶」と「柘榴瓶」は胴の形で分けているらしく、東京国立博物館にある法隆寺献納宝物などを見ると、長頸で注口が着かない水瓶には、なで肩の卵形のものと肩の張った蕪形の胴のものがあり、卵形が「棗瓶」、蕪形が「柘榴瓶」に相当するのかもしれません。また「洗豆瓶」というのがありますが、「洗豆」は「澡豆」、これも「比丘十八物」のひとつで、洗濯用の豆の粉、豆に含まれるサポニン成分に洗浄効果があるそうで、洗剤瓶とみられます。

「香杯」は香合でしょうか。身と蓋が対で単位が合になっています。「香炉」は、「火炉」を別に挙げており、単位が具、蓋が着くことがわかり、「柄香炉」も含まれる可能性もあります。仏物十八具のうち、十三が白銅のもので、銀、鍮石(ちゅうじゃく)、牙(げ)、赤銅(しゃくどう)のものがひとつずつあるとしますが、数が合いません。鍮石は黄銅(真鍮(しんちゅう))、銅と亜鉛の合金で、ブラスバンドのBrassです。牙は象牙、赤銅は銅と金の合金です。「単香」は単香炉の略、「香鋺」は、香箱の可能性もあります。

「鍾」は鐘ですが、高八寸(約二四センチ)ですので、梵鐘(釣鐘・大鐘)ではなく、換鐘、楽鐘などの小鐘(半鐘)とみられます。「磬」は「うちなし」。「へ」の字形の打楽器、礼拝や読経のとき打ち鳴らす仏具です。

大安寺にあった大量の鏡

「鏡」は千二百七十五面もあります。東大寺正倉院に現在伝えられている鏡は五十六面「法隆寺資財帳」に記された鏡は六面だけですので、これはすごい数です。鏡背の文様はわかりませんが、「花鏡」は八花鏡や八稜鏡などでしょうが、これが二百五十九面、円鏡が二百八十四面、方形の方鏡が六面、鉄鏡が七十一面、小型鏡六百五十面。これらは仏物、ほとんどが仏に所属するものです。法隆寺の鏡は「法隆寺資財帳」によると、天平八(七三六)年二月二十二日(これは聖徳太子の命日)に年平城宮皇后宮(光明皇后の宮)から納められたものが二面、同じ日に無漏王(むろのおおきみ)(藤原房前の妻)が納めたものが一面、他に円方王(まどかたのおおきみ)(長屋王の娘）が納めたものが一面あって、大安寺の鏡もこうした個人の喜捨、寄進物の蓄積であった可能性も考えられますが、小型の鏡、「雑小鏡」などは量産制作され、大安寺の仏堂の荘厳に使われたと思われます。時期は下がりますが、法隆寺西円堂には約二千五百面以上の鏡が奉納され、堂内に懸垂されていました。奈良時代にも多数の鏡が堂内に各種各様な形で嵌め込まれており、台に載せられたり、仏像の台座に取り付けられることもありました。『西大寺資財流記帳』によれば、西大寺の薬師金堂の薬師如来像は「着鏡五十六面」としていますし、光背には化仏、音声菩薩とともに大小七十二面の鏡が着けられ、脇侍の菩薩二躯それぞれの台座に三十八面、光背に七十二面、三尊で合計三百四十八面の鏡が取り付けられていたことがわかります。東大寺法華堂にも多数の鏡があり、『東大寺要録』によると、四十七面あって、三十六面は天井にあって、八面は柱にあるとしています。本尊の不空羂索観音像の天蓋には今も鏡が嵌め込まれています。東大寺大仏の左右にも鏡があったことが「信貴山縁起絵巻」に描かれているところです。このように仏堂内や仏像を鏡で飾り立てることが奈良時代には流行したことがわかります。

寺内の用具と仏具

「合子」は身と蓋（ふた）が合う容器。白銅製が多く、銀製が三、金銅製が一、木製が五あります。「匙」も白銅製がほとんどのようですが、銀製が三あり、木葉匕（もくようさじ）と窪匕（くぼさじ）に分けています。正倉院に残る匙には、木葉形のものと円形のものがあり、これに対応するのかもしれません。また、正倉院ではこの二種の匙が十組ずつ未使用で残されており、新羅の文書で包まれていることから、こうした金属の食器は新羅製品である可能性が高いようです。韓国へ行ったり、韓国料理の店に行くと、ステンレスの箸とスプーン、椀や皿が出されますが、これは、こうした金属食器が食器の頂点にあった伝統を今も保っているといっても良いで

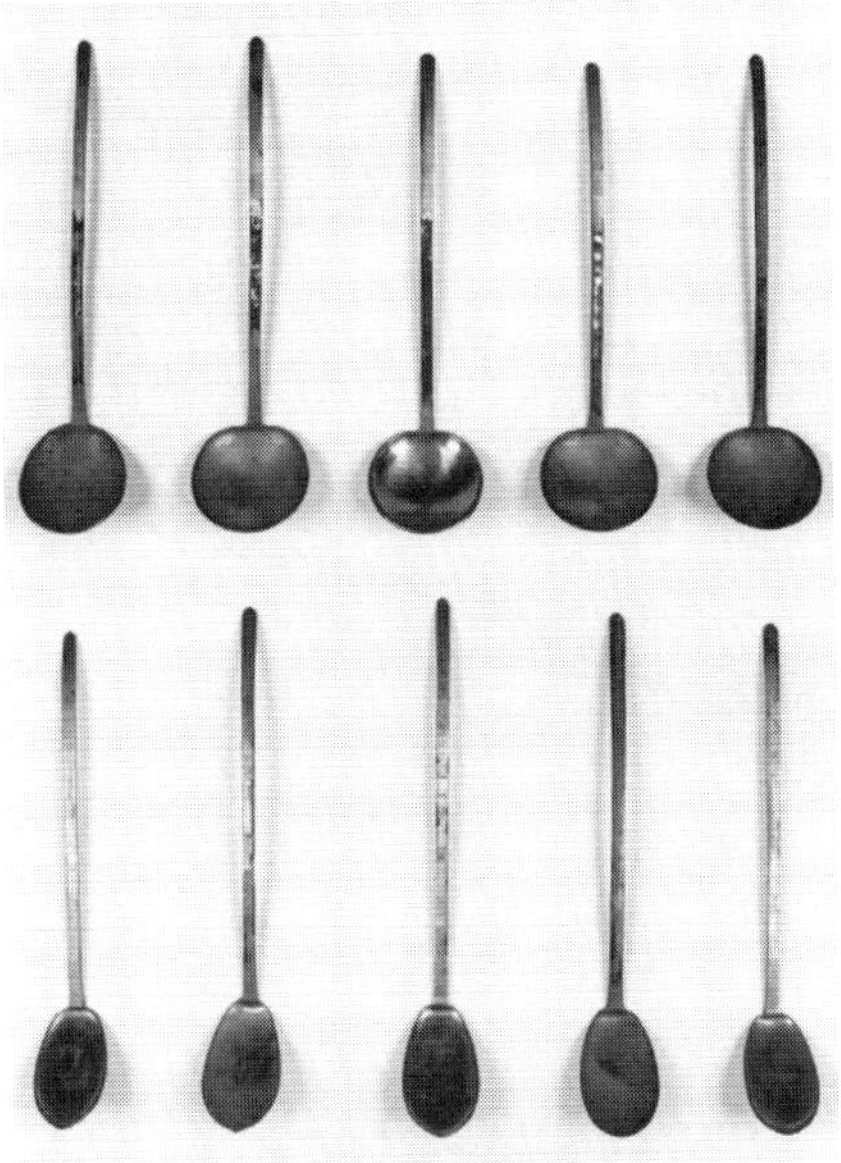

円形匙と木葉形匙（正倉院宝物）

金銅火舎（正倉院宝物）

しょう。「鐯」も材質が書かれていませんが、金属製の箸、正倉院には金銅製の箸があり、平城京内の発掘調査でも青銅製の箸が出土しています。

「火炉」と「鉄炉」は、火鉢の可能性もありますが、金銅製の仏物もあって、香を焚く据（す）え香炉、火舎（かしゃ）香炉のようです。

「錫杖（しゃくじょう）」は山野を修行する僧侶が振り鳴らして、蛇や虫を追い払う杖です。正倉院には三柄伝わり、頭部と杖部が一体のものがありますが、ここでは白銅製頭部と銅製頭部がそれぞれ二で、ひとつは無茎としていますので、杖部は木製かなにかであったようです。奈良時代の錫杖頭は、山岳修行僧が納めたとみられる北アルプスの剣岳山頂（海抜二九九九メートル）で発見されたものが有名で、日光男体山山頂（二四八六メートル）に奉献されたものもあります。「誦数」は数珠（じゅず）、数珠の玉の材質は水精（水晶）、牙（象牙）、銅製、銀製、菩提樹、白檀、琥珀や、水晶と琥珀を混ぜたものなどいろいろで、新羅というのは、新羅製の白銅の珠、シラ（新羅）玉の意味なのかも知れません。

「釜」もお寺の必需品で、銅製のものが十口、三脚のついた足釜、吊り下げる懸釜、行竈は「竈（かまど）」のことですが、移動可能な置き竈なのかも知れません。鉄釜の一口が温室分になっています。これは湯沸かし用の釜だと思われます。鉄釜はいまのところ、飛鳥の川原寺で、飛鳥時代の釜の鋳型が出土しており、七世紀には存在が確認できますが、出土品では八世紀、奈良時代になってからのものです。金属製品は再利用されることもあり、なかなか出土しません。釜は寺院や役所など多人数の食事や湯を用意する場所で使われるようになったとみられます。温室は浴室ですが、仏に仕える僧は身を清めることが必要で、自然の温泉を除くと、我が国の浴室の始まりはお寺だといわれています。ただ、この頃のお風呂は湯船に浸（つか）ったり、蒸し風呂ではなく、沸かした湯をあびる湯あみ程度のもののようです。

次に挙げるのが「銅斗（はかり）、升（ます）」です。水が二斗入るものと一斗入るものがあります。奈良

錫杖（正倉院宝物）

時代の物の量の単位は石・斗・升・合・勺で、一斗は現在の約四升（七リットル強）とみられます。平城京の発掘調査で出土した須恵器杯の底に「三合一勺」や「四合」と墨書したものがあり、こうしたものが、簡易な計量カップに使われたことがわかります。

「井樽」は釣瓶と考えられています。奈良時代の井戸からは、頸部に縄で括った壺や外側を籠で編み込んだ甕が出土しています。「つるべ」は「吊る瓶」が一般的であったことがわかります。木を刳り抜いたものも出土していますが、板を組んだ樽は台カンナや縦引き鋸の無い奈良時代には存在せず、どのような作り方をしたものなのでしょう。

四百六十七もある「鈴」は、仏を荘厳・供養するために立てられる「幡」などに取り付けられたものとみられ、正倉院にも多く残っていますが、音をたてて、魔を払う意味があったようです。財布に鈴を着けていらっしゃる方がよくおられますが、あれは落とした時にわかりますが、やはり魔除けなのでしょう。

舶来顔料と薬品

「朱沙」から「紺青」までは、顔料、絵の具です。仏画、仏像などの彩色材料です。これらは正倉院では紙包み（裹）にされ、布袋に入れられ、保管されたことがわかります。

重さは金属と異なり、その三分の一の「小斤（一両＝約一四グラム）」で計測されているようです。

「朱沙」は、「辰砂」、硫化水銀の粉末で赤色顔料。消炎、鎮痛の薬品としても用いられたようです。古来、中国の辰州（今の湖南省）で産出されたことから、辰砂の名があり、日本からも産出しますが、奈良時代は新羅を通じた輸入品が多かったようです。

「金青」・「緑青」・「白緑」・「空青」・「紺青」は青系の顔料、藍銅鉱が原料です。金青が最上とされ、赤みのある青、緑青は銅錆色、明るくにぶい青緑色、白緑は白みを帯びた淡い緑、空青はスカイブルー、晴天の青、紺青はやや紫みを帯びた深い青色です。日本でも一部産出しますが、これらも輸入品が多いようです。

「胡粉」は白、現在は貝殻から作っていますが、当時は「唐胡粉」と呼ばれる鉛白（塩基性炭酸鉛）が最高級品です。「丹」は光明丹、鉛丹（酸化鉛）で橙赤色、神社の社殿の色です。正倉院に紙包みのままで残っており、酸化鉄の「丹土」（ベンガラ）ではありません。

「烟紫」は臙脂、黒みを帯びた濃い赤色、インドのラックカイガラムシ（臙脂虫）の分泌物を原料とする紫鉱を溶かして、綿などに浸み込ませたものとされ、数量が重さでなく「枚」になっています。「雌黄」は東南アジア原産のオトギリソウから採った樹脂のことですが、ヒ素の硫化鉱物である石黄（雄黄）もこう呼ばれます。赤みがかった黄色です。

「甘草」は文字どおり「甘い草」、洋の東西を問わず、薬として用いられており、中国東北部から中央アジア、南ヨーロッパの乾燥地帯に分布し、根に消炎・鎮痛・解毒作用があり、刺激を和らげ咳止めに効き、他の薬の副作用を抑制することから多くの漢方薬に配合されており、「甘草エキス配合」という言葉も、よく聞くところです。

「太黄」は「大黄」で、これも中国北部、四川、青海省に自生する薬草です。体内の毒素を体外に排出する効能があり、消化不良や便秘に劇的な効果があるとされます。甘草、太黄は、僧分とされており、この二つは寺の常備薬であったのかもしれません。

絹と布

絹や布は米穀や地金とならぶ現物貨幣、代表的な財物です。

まず、「調絁」、寺領から貢納された絹布です。「絁」は「太絹」、太い糸で織った荒い絹、「悪し絹」の意味ですが、正倉院に残るものを見ると、そう質が悪くありません。絁は長さ六丈、幅一尺九寸が一匹（疋）、二端で一匹です。「交易絁」は商品、売買で寺に入ったもの。「糸」の単位は重さ、一絇は一斤ですが、糸の場合は大両で、四から七両で一絇としたようです。「交易絲」では斤と書いています。

「綿」、これは現在の木綿ではありません。木綿はまだ日本に存在しませんので、これは絹綿、真綿（まわた）です。また、奈良時代に「木綿」と書けば、これは「ゆう」、楮（こうぞ）の繊維です。綿の単位の「屯」は四両分の重さです。糸や綿の重さも大斤（大両）なのか小斤（小両）なのかが問題ですが、交易綿二千四百四十四斤は、小斤だと五四五キログラム、木綿の掛け布団百三十六枚分ほどのかさがあり、大斤だとその三倍です。また、「畳綿」の単位は「牒」、板状になっているからなのでしょう。

「細布（さいふ）」は細い糸で織った麻布、奈良時代にただ「布」とするのは麻布です。布一段（反）は長さ四丈二尺、幅二尺四寸です。「長布」は一端（反）の長さが長いのでしょうが、この中に「望陀（もうだ）」というものがあります。これは上総国望陀郡（かずさのくにもうだぐん）（千葉県木更津市、君津市付近）産の布で、最高級品の麻布です。

「庸布」は十日分の歳役（さいえき）の代わりの税、庸布は長さ二丈八尺が一段（反）、一常はその半分になります。

紺色で染めた布の次に記している「朱芳」は「蘇芳（すおう）」、赤色染料です。黒っぽいくすんだ赤、インドや東南アジア原産のマメ科の植物の心材です。

さまざまな香料

インドで生まれた仏教では香を焚くことで不浄を払い、心を清浄にするとされ、花や灯明とともに仏に供することを供養の基本としますので、古代寺院にも多くの香料が蓄えられています。ほとんどが東南アジア、インド原産で貴重品であり、仏物、法物に属しています。

香料の最初は「麝香（じゃこう）」、中国四川省からチベットにかけて生息するジャコウジカの雄の香嚢を干したもので、甘く粉っぽい香り。「白檀（びゃくだん）」は、インド、東南アジア原産の香木、さわやかな甘い香り。「沉香」は沈香（じんこう）、これも東南アジアが原産のジンチョウゲ科の木、重く水に沈むということで沈香、虫穴などにできた樹脂で、上質なものが「伽羅（きゃら）」と呼ばれています。「浅香」は「全浅香（ぜんせんこう）」、沈香の一種で脂分が少なく、水中で浮沈定まらないのでこう呼ばれます。「薫陸香（くんろくこう）」はインド、ペルシャ伝来の芳香樹脂。「丁字香」はクローブ、インドネシアのモルッカ諸島の木のつぼみ、防腐、歯痛止めにも使われます。

「衣香」は衣に焚きしめる香の意味ですが、「裛衣香（えい（び）こう）」と呼ばれる調合された防虫香をさすのかもしれません。「百和香（はくわこう）」は種々の香料を混ぜた練香。「青木香（せいもくこう）」は現在の「唐（から）木香（もくこう）」、インドのキク科の植物から作られます。さらに続き、「零陵香（れいりょうこう）」も中国原産の香草、「蘇香（そこう）」は「蘇合香（そごうこう）」と呼ばれるもので、西アジアの芳香樹脂に沈香を混ぜて作られます。「甘松香（かんしょうこう）」は中国西南部からチベット原産の香草の根、甘さが強くこの名があります。「霍香（かくこう）」もインド原産の香草です。このように奈良時代の大寺院が保有していた香料、お香のほとんどは高価な輸入品なのです。

「買新羅物解」という奈良時代の文書が残っていますが、これはもと正倉院の鳥毛立女屏風の下貼に貼られていたもので、天平勝宝四年（七五二）に来日した新羅の使節がもたらした種々の物品について、貴族たちがその購入を申請した文書です。購入希望品目には、香料、薬物、顔料や金属器が多く、新羅の特産品だけでなく、香料や顔料は新羅が東南アジアや西アジアとの中継貿易によって入手し、我が国にもたらした可能性が考えられています。

臈蜜（正倉院宝物）

次に「蝋燭」が記されていますが、虫扁の字を使っており、これは灯火用の「蝋燭」ではなく、ミツバチの巣を加熱圧搾して作る蜜蝋（臈蜜）とみられます。下痢止めや膏薬の材料として使われるとともに金銅仏や鏡など蝋型鋳造の原型をこしらえるのに多く用いられました。

寺内の用具と調度

「灌頂幡」、灌頂とは、頭上に水を灌ぎ、仏弟子となる儀式で、古代インドの国王即位式などの儀式を仏教が取り入れたものとされます。幡は儀式の際に堂内の柱や仏の頭上の天蓋の四隅などに取り付けて荘厳するもので、天蓋を伴うものが特に灌頂幡と呼ばれています。金銅製ともみられる組大灌頂一具が「前岡本宮御宇天皇（舒明天皇）」が庚子年（舒明十二・六四〇年）に納めたもの。繍大灌頂一具が「飛鳥宮御宇天皇（持統天皇）」が癸巳年（持統七年・六九三年）十月二十六日に仁王会の為におさめたもの。『日本書紀』には、持統天皇七年の十月二十三日から四日間、仁王経を百国に講かしむという記事があり、この時のものに該当するようです。秘錦大灌頂一具は平城宮御宇天皇（元正天皇）が養老六（七二二）年壬戌十二月七日に納めたもので、これは先に出てきた供養具二十口とおなじく、元明天皇の一周忌の斎会に納められたものであることがわかります。「秘錦」とは「緋金錦」の略で、金糸が入った緋（黄味がかった赤）色の錦とされます。新羅の宮廷工房で王室用に織られた錦とされます。残る九具はさまざまな人々が奉納したものだとしています。

錦道場幡
（正倉院宝物）

「宝帳」は仏典にも出てくる宝石のとばり、宝石のすだれですが、ここでは高級生地を使った垂れ幕、カーテンです。羅（ら）や魯（ろ）（絽）といった薄物があり、「斑帳（まだらのとばり）」というまだら模様のものもあったことがわかります。「蓋（きぬがさ）」には小幡四頭が着くとあり、仏像などの上にかざす天蓋（てんがい）とみられます。「幡」は本来が「はた＝旗」であり、布製が多いのですが、「小幡」は唐錦、唐羅、綾などの高級絹織物で作られています。こうした幡を正倉院展でご覧になった方も多いと思います。

「机敷物」は供物台などのテーブルクロス。表が緑、裏が浅黄とありますが、浅黄は薄い黄色、青色の浅葱とは別です。また、「褥」は中に綿や芯が入ったものです。「花覆（おおい）」はカバー、紗（しゃ）や羅といった薄物が使われています。「机帯」というのは覆いの帯、覆いの押え帯で、供物に掛けられた薄物の覆いが飛ばないよう軽く結んだようです。縹（はなだ）は藍よりも薄い青色です。「丈六覆帛絁（じょうろくおおいきぬあしぎぬ）」、「仏張柱裹布（つつみぬの）」というのはなにか仏像の覆いのようです。

「火炉坐敷物」は香炉の敷物。

「袈裟（けさ）」はお坊さんのまとう衣。サンスクリット語の「カーサーヤ」が語源とされます。捨てられた端切れ布を集めて縫いわせたものが本来です。十一領ですので、八百八十七人居たというお坊さん全員の物でなくこれはお寺の予備の備品のようです。「坐具」は座る時の敷物。「衣（ころも）」の「袷（あわせ）」は裏付き、綾や高機（たかばた）で織ったものもあり、奈良時代のお坊さんは錦、綾、羅など華やかな高級織物を身につけることは禁じられており、男性用、女性用がありますので、正倉院にも残るような楽人の衣装かもしれません。「織脛纏」は脛巾、脚絆とみられ、これも楽人衣装の可能性があります。「綵帛」は美しい色どりの絹、「高麗八部」は白綾に紋を黒く織りだした敷物のようで、「秘錦」、「錦」と高級織物が続きます。「厨子」は棚に扉をつけた収納具、「韓櫃」は唐櫃（辛櫃）、脚のついた被せ蓋造りの箱で、脚がつかず、手掛けの横桟をつけたのが倭櫃（和櫃）と呼ばれます。「赤檀小櫃」は紅木で作られた小箱で、金銅製の鏁子（錠）が着いています。「四角機匣」は薄い方形の箱のようです。

「円牒子」は重ね皿で、瑪瑙、琥珀、白玉が入っており、サワラの実のようだと記しています。「皮筥」は奈良時代に一般的な漆塗りの漆皮箱、「草筥」は葛箱や藺箱とみられます。

次に「雑琴」と「笙」といった楽器が挙げられており、「雑琴」としては、琵琶と箏琴と琴を挙げています。弦楽器ということなのでしょう。奈良時代の僧尼を取り締まる法律、「僧尼令」では、僧尼が音楽を演奏したり、博戯（ばくち）をすると、百日の苦役として、これを禁じていますが、囲碁と琴だけは除かれています。箏と琴は今ではどちらも「こと」と呼んでいますが、本来は異なる弦楽器で箏は柱（琴柱）を用い、弦の数も異なります。また、『資財帳』には「合銭六千四百七十三貫八百二十二文」の内訳に「箜篌分銭」とい

唐櫃（正倉院宝物）

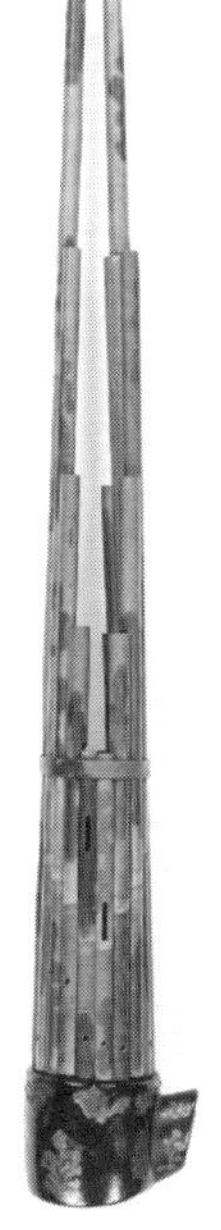

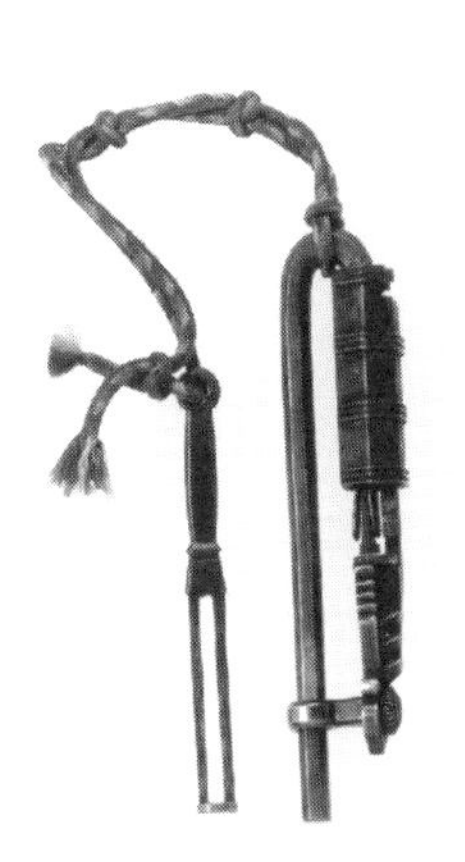
鏁子（正倉院宝物）

笙（正倉院宝物）

うものがあり、箜篌（竪型ハープ）も大安寺にはあったようですが、ここでは挙げられていません。

「屏風」は現在のものと外見上もほとんど変わらず、風を防ぐ間仕切り用。「机」は脚が長く、多数ある多足机の可能性が考えられ、「安几」は脚の短い小型の机、仏様への献物几とみられます。

「麈尾（しゅび）」は鹿の群れを率いる大鹿の尾とされ、お坊さんの持つ儀式具で、人々を導く法具とされます。正倉院に奈良時代の物が残されています。「如意（にょい）」は孫の手形のこれも説法、法会の際に威儀を整える儀式具。「脇息（きょうそく）」は脇に置くものですが、奈良時代には「挟軾（きょうしょく）」とも呼ばれ、体の前に置いて、もたれかかるものであったとされます。

「籌（ちゅう）」は細い棒、計算に使う算木です。奈良時代に算盤（そろばん）はまだ、ありませんので、計算は算木を使って行ったと考えられています。「船」は槽、刳り抜きの浅い大型容器とみられます。「経台」は経典を置く台、経机のようです。「経嚢（のう）」は経を入れる袋、「持盖」は「持ちきぬがさ」だと、貴人に差し掛ける絹を張った長柄の笠ということになります。

「帯」は腰帯、金作、銀作、黒作は革帯（かくたい）で、六位以上の官人が烏作（くろつくり）腰帯（帯金具を漆塗にしたもの）、五位以上の貴族が、金銀帯とされていますが、高麗錦のものもあり、楽人衣装に伴うものとみられます。「頭形（かしらがた）」は伎楽（ぎがく）などで用いられる獅子頭（獅子口）と虎頭。

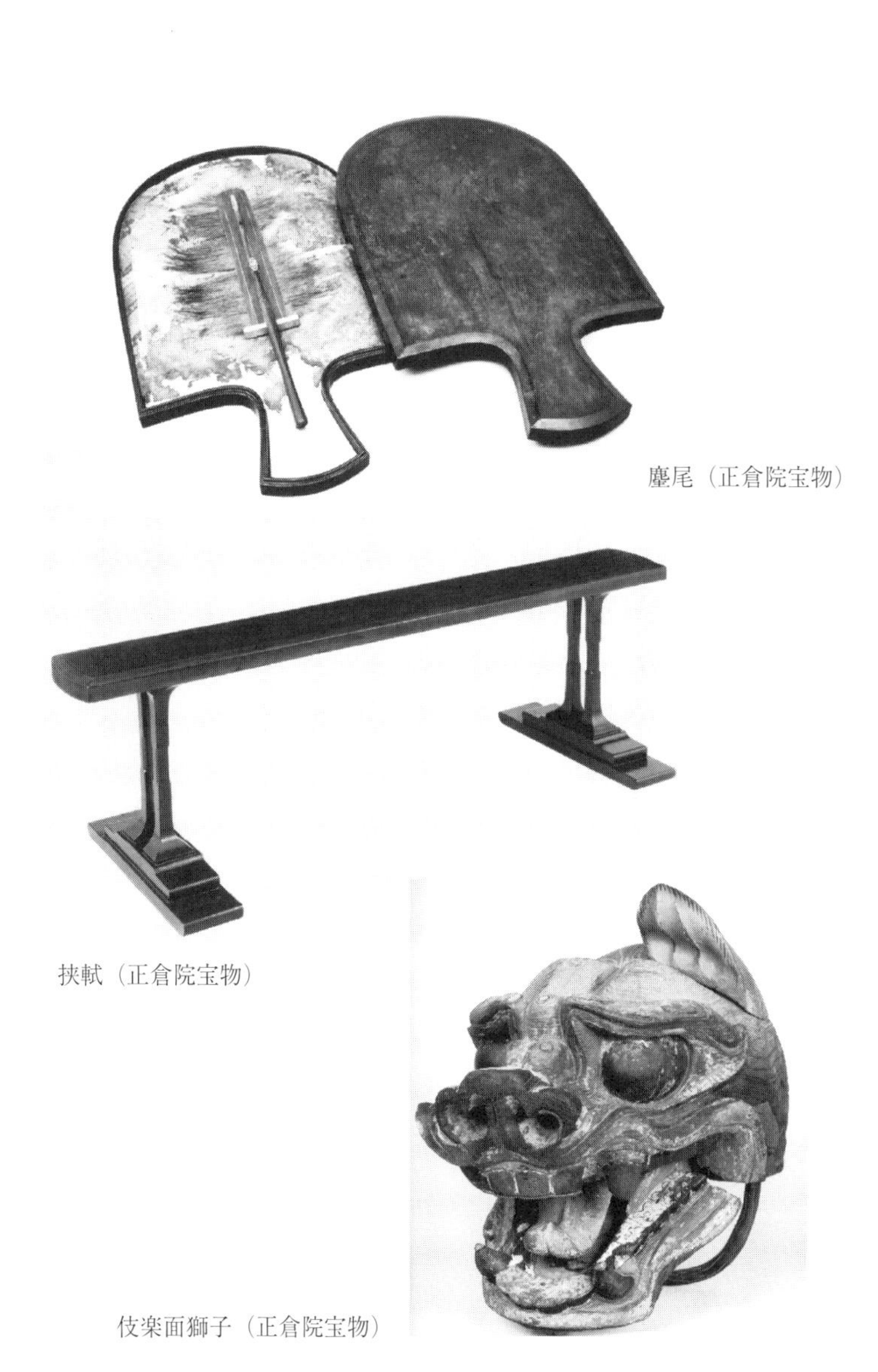

麈尾（正倉院宝物）

挟軾（正倉院宝物）

伎楽面獅子（正倉院宝物）

中国の草鞋

「嚢」、「桴綱」も重要な資財です。

ここからまた衣料品や布製品となります。「裳」は、巻スカートで、これは女性だけでなく、僧侶も着用します。「被」はカバー、これも紫の羅、赤の紗と薄物です。「偏袒」はよくわかりませんが、腕貫あるいは手袋のようなものでしょうか。「巾」は布切れ、ハンカチ、手ぬぐいもこう呼ばれます。次の「褥」は二十一床あって、これは「しとね」、座布団、敷布団とみられます。掛布団は「衾」と呼ばれたようです。

「沓」が二足、仏分一足は「線鞋」、正倉院に「繍線鞋」という美しい刺繍が施されたくつがありますが、本来、線鞋とは紐を締めて履く履物で、唐代の麻線鞋というのは、玄奘三蔵が履いていたような麻糸で編んだ「草鞋」という履きものです。鑑真和上の唐からの将来品の中にもこの「草鞋」があり、この線鞋もそのようなものだったと思われます。「雑絁端」の中には「紫綬」といった勲章のリボンのようなものもあります。

「織絨」、「氈」は羊毛などに熱を加え圧縮したフェルト、毛氈です。「高麗織絨」というのは模様のある花氈なのかも知れません。紗や綾のものもある「種々物覆」、「種々物袋」といった収納具があって、次の「衣屏」というのは間仕切り用の「几帳」のようなものかと思われます。「垣代帳」は幕、四条は表が紺、裏が緋。次の「綱」がこれに附属するのかもしれません。「絁帳」は絹のカーテン。「橡」はクヌギで染めた黒です。「布帳」は麻布のカーテン、塔に所属するものとして紺布と白布の「古帳」というものもあります。

大安寺の武器・武具

お寺に武器や武具は不似合いのようですが、天平勝宝八歳（七五六年）に東大寺正倉院に光明皇后は大刀百口、弓百張、箭（矢）百具、甲百領を他の聖武天皇遺愛の品とともに納めています。これに比べると少ないとは言え、武器、武具を大安寺も保有していました。奉納者は記されず、様々な人が納めた蓄積なのかもしれません。

鎧が三具、一具は漆塗りです。「大刀」と「横刀」が六十柄。正倉院にある刀は六〇センチ以上あって、刃の形を表裏とも急な角度で落とした切刃造のものと、四〇～五〇センチで刀身の両面が平らな平造のものがあり、長いものが大刀、やや短い目のものが横刀とみられます。横刀は腰に吊るためにこの名があるようです。平安時代にはどちらも

金銅鈿荘大刀（正倉院宝物）

金銀荘横刀（正倉院宝物）

胡禄（正倉院宝物）

「太刀（たち）」と呼ばれるようになります。一柄ある「杖刀」は仕込み杖で、これも正倉院に実例が残っています。「小刀」が二百九十九、「弓」が十二枝。「胡禄（ころく）」は矢入れ、古墳時代には矢を入れて背負うのが「靫（ゆぎ）」で、腰に吊るす矢筒が「胡禄」だったのですが、奈良時代には背負ったり、肩に掛ける平胡簶（ひらやなぐい）が現れます。箭（や）は矢、四十九隻しかありませんが、通常、五十隻を胡禄に入れます。「鈖」は鎗（やり）。「鉞」は「まさかり」。「鉾」と「鎗」は同じ突き刺す長柄の武器ですが、鎗（槍）は、刃の先端が鋭角で、両手で使用するのに対し、鉾（ほこ）（矛）は刃の先端が丸みを帯び、鈍角の物が多く、盾を持ち、片手で使うという点が異なります。

その他の雑物

金玉、銀玉とあって、「銀鏁」、これは銀鎖（くさり）、「爵」は笏（しゃく）、牙笏（げのしゃく）は象牙の笏です。「銀髪刺」は簪（かんざし）、お坊さんには必要ありません。楽人用でしょうか。「銀墨研」は銀墨の硯ですが、「銀烏敏」や「玉忩曲」というのは、どのようなものかわかりません。「金涅杖」、「金涅鐃」、鐃（にょう）は柄のついた鈴、鏡台、亀甲文の枕、「浅香礒形台」とは香木で作った州浜台のようなものでしょうか。白鑞の作り物が着いているようです。「牙口脂壺」は象牙のリップクリーム入れでしょうか。冠が二十八もあって、鏡懸絲は鏡の緒なのでしょう。赤糸組は正倉院に伝わる「縷（る）」と呼ばれる色糸紐に該当するのかも知れません。水精（水晶）玉、白玉、青玉、琥珀玉、紺玉、縹玉など色々な色の玉は数珠や菩薩の瓔珞や冠の装飾に用いられました。最後に金堂の脇侍とみられる宍色（しし（にく）いろ）菩薩の銅製天冠を書き上げています。

赤色縷（正倉院宝物）

大般若会の調度

大般若会は、「大般若経会」の略で、国家や民衆を守ってくれる大般若経を読むことにより、その功徳によって、国家鎮護が図られるという法会です。大般若経は仏典の中で最大規模をもつお経で、その字数は約五百万字、六百巻ですから、全て正しく読む「真読（しんどく）」は至難の業です。たくさんのお坊さんが交代で読みます。「転読」というのは、お経の巻物を経机に置いて、その題名を読み、巻物を転がして中間と、末尾だけを読むというやり方、飛ばし読みのこととされ、これが普通で、お経の装丁が後に「折本（おりほん）」になりますと、パラパラパラとアコーディオンのように広げ、最後にパンパンと叩く。この転読のお経の風に当たると、無病息災になるとか言われるようになります。大安寺の大般若会については、奈良時代の正史『続日本紀』によると、聖武天皇の天平九（七三七）年、この年は都に天然痘が流行、人々がバタバタ死んだ年で、政界を主導していた藤原四兄弟（武智麻呂、房前、宇合、麻呂）も一挙に倒れ、社会不安が高まった年ですが、四月八日に大安寺の修造を任じられていた道慈が大般若経転読によって、これまで大安寺に災害（わざわい）が無かったことを述べ、護寺鎮国のために以後、僧一五〇人による大般若転読会を恒例にしたいと聖武天皇に奏上し、これが認められたと記しています。この法会は聖武天皇勅許の法会として続き、平安時代には毎年四月六、七日の両日に行っていました。二日がかりで百五十人で読むわけですので、「経を転ぜしむ」と書かれていますが、飛ばし読みではなかったのかもしれません。

「大般若会調度」は、この法会の用具で、「額八条」は金堂、中門、東西回廊とおそらくは東西のくぐり門の額、法要の際だけに取り付けた布製のもののようです。「仏懸緑綱」や「仏懸横木」というのは、法会の際に仏像に結ばれた仏との結縁のための紐のようです。「緋絁帳（ひあしぎぬのとばり）」、「紺布帳（こんぬののとばり）」、「細布帳（さいふのとばり）」は法会会場の間仕切りカーテン、「布縄」はその付属品なのでしょう。「経台」はお経を読むときにお経を広げる経机、「高座」は二具ありますので、講師（こうじ）と読師（とくし）が坐る階段と屋根のついた論議台。「礼盤坐（らいばん）」は木製方形の導師の座席。「机」は香花、灯火、供物などの台、火炉机は焼香台でしょうか。布巾、簾（みす）まで書き上げており、「大般若会」が今上天皇勅許の重要な法会であることを強調しているようです。

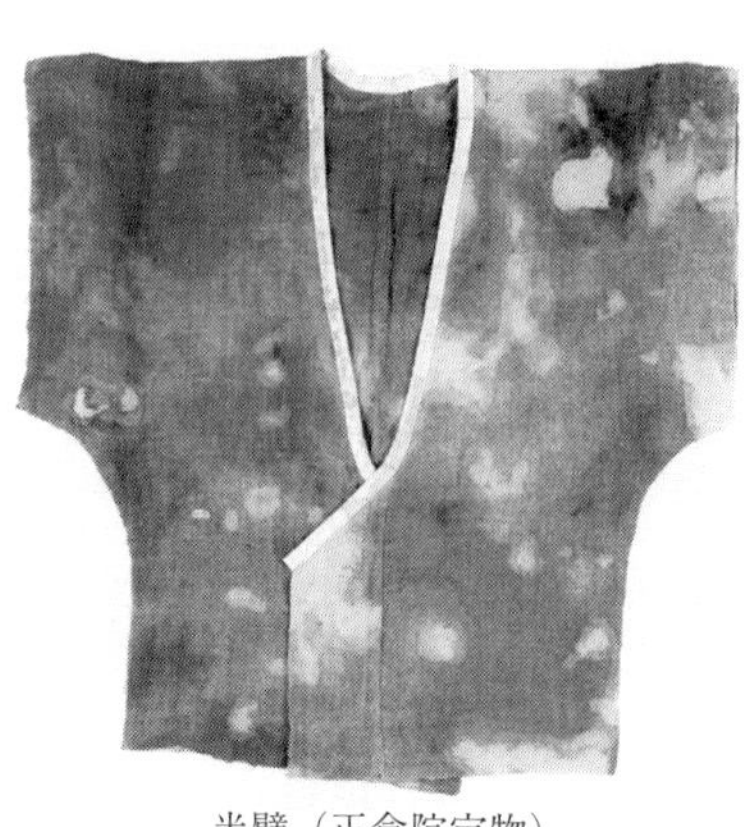

半臂（正倉院宝物）

唐楽と伎楽の用品

唐楽というのは、中国で宮廷の宴楽として演奏された民間音楽や周辺諸国の音楽が伝わったもので、新羅，百済，高句麗の三国から伝わった高麗楽（こまがく）とともに奈良時代の儀式音楽を構成しています。平安時代以後の雅楽では左方、舞人の衣装が赤いほうです。伎楽のほうは呉楽とも呼ばれ、唐楽や高麗楽よりも古く伝わった楽器演奏が伴う無言の仮面劇で、奈良時代には法会の供養楽として演じられました。

唐楽調度には内訳がありますが、天平二（七三〇）年庚午七月十七日に平城宮（ならのみやに）御宇（あめのしたしらしし）天皇（すめらみこと）（聖武天皇）から納め賜ったとする伎楽二具の内訳は記されていません。

唐楽調度の「羅陵王　一面」は蘭陵王（らんりょうおう）の面、倭胡は従順な胡人、胡従面とも考えられます。「咲」は笑、笑面です。「老女面」、「虎頭」もあって伎楽面とあまり変わりません。「衣（ころも）」があって、「半臂（はんぴ）」は短い袖がついた胴着。臂までの半分の袖ということでこの名があるそうです。「汗衫（かんさん）」は袖なしの肌襦袢、下着のシャツです。「帛袴」は絹の袴。「金作帯」は帯金具のついたベルト、「靴沓」は靴。「線鞋」とは違い、皮を縫いとじた革靴をさすようです。いずれも楽人の衣装のようです。『延喜式』によれば、毎年、四月六、七日の大安寺の大般若会には雅楽寮の役人が楽人を率いて供奉することになっており、これら唐楽調度や伎楽二具は大般若会に関わる楽具である可能性も考えられますが、『西大寺資財流記帳』に書きあげられる楽器や楽人服に比べると数量が少なく、寺で供える予備のものなのかも知れません。聖武天皇奉納という伎楽具の由緒を書き、「以上　資財等　天平十八年本記所定　注顕如件」として寺内物品の書き上げを締めくくり、『資財帳』は寺の不動産、固定資産へと続きます。

五　大安寺の資財3――寺地と伽藍

合寺院地壱拾伍坊

四坊塔院　四坊堂幷僧房等院　一坊半禅院食堂幷太衆院

一坊池幷岳　一坊半賎院　一坊苑院　一坊倉垣院　一坊花園院

合門玖口

仏門二口　在神王金剛力士梵王帝釈波斯匿王毗婆沙羅王形

僧門七口

合堂参口

一口金堂　長十一丈八尺　広六丈　柱高一丈八尺　一口講堂長十四丈六尺　広九丈二尺　柱高一丈七尺

一口食堂長十四丈五尺　広八丈六尺　柱高一丈七尺

合楼弐口

一口経楼　長三丈八尺　広二丈五尺

一口鍾楼　丈尺如経楼

合廊壱院

金堂東西脇各長八丈四尺　広二丈六尺　高一丈五寸
東西各長廿丈五尺　広二丈六尺　高一丈五寸

合食堂前廡廊　東西各長五十五尺　広一丈三尺　高一丈五寸

合通左右廡廊陸條

一行経楼　一行鍾　長各二丈七尺広一丈四尺　高八尺
二向講堂　東西長各九丈広一丈　高一丈五寸　一講堂北廊長五丈二尺　広一丈八尺　高一丈八尺
一食堂長九丈九尺　広一丈八尺　高八尺五寸

合僧房壱拾参條

二列東西太房列長各廿七丈四尺五寸　広二丈九尺　高一丈五寸　二列東西太房北列長各廿四丈五尺　広高如上　二列東西南列中房長各廿七丈四尺五寸　二列東西中房北列長各廿九丈一尺　広三丈　高一丈一尺　二列北太房長各十二丈五尺
広三丈九尺　高一丈五寸　一列北東中房長廿七丈　広三丈　高一丈一尺　一列小子房南列長十丈　広一丈二尺　高九尺
一列東小子房長廿九丈一尺　並蓋檜皮

合井屋弐口　並六角間各長一丈　高九尺　在僧房院

合宿直屋陸口

二口金堂東西　長各一丈三尺　広八尺三寸　二口南大門東西曲屋長各二丈四尺　広一丈　高七尺五寸　葺瓦二口南中門
東西長各一丈四尺　広一丈　高八尺

合温室院室参口

一口長六丈三尺　広二丈　一口長五丈二尺　広一丈三尺　一口長五丈　広二丈　並葺檜皮

合禅院舎捌口

堂一口　長七尺(丈カ)　広四丈　高一丈四尺　僧房六口　一口長六丈三尺　広三丈八尺　三口長五丈　広二丈　一口長十丈八尺　広一丈八尺　一口長四丈　広一丈五尺　廡廊一條長四丈　広一丈二尺　以上葺檜皮

合太衆院屋陸口 一口葺瓦 五口葺檜皮

一厨　長廿二丈　広五丈　高一丈一尺　一竈屋　長十一丈四尺　広七丈二尺　高一丈八尺　葺瓦

二維那房　長各七丈七尺　広二丈八尺　高一丈六尺　一井屋　長七丈七尺　広三丈　高一丈四尺

一碓屋　長五丈　広二丈

合政所院参口

一口　長七丈　広四丈　高一丈四尺　一口　長五丈　広三丈　高一丈一尺　以上葺檜皮

一口　長九丈　高一丈三尺　広五丈　葺草

合倉弐拾肆口　之中

双倉四口　板倉三口　並在太衆　甲倉一口在禅院　板倉二口　甲倉十三口　並在倉垣院

以前皆伽藍内蓄物如件

大安寺の寺地

大安寺の寺地、境内の広さを『資財帳』は「合寺院地壱拾伍坊」（合わせて寺院の地十五坊）

と記しています。その次のところに内訳が書いてあり、「四坊塔院」、「四坊堂并僧房等院」、「一坊半禅院食堂并太衆院」、「一坊池并岳（いけならびにおか）」、「一坊半賤院」、「一坊苑院」、「一坊倉垣院」、「一坊花園院」と記しています。

「四坊塔院」、「四坊堂并僧房等院」は発掘調査で遺跡の位置もはっきりしており、「一坊池并岳」というのも境内にある杉山古墳で問題ないのですが、その他の院の配置となると、その位置がどこなのかがなかなか難しいのです。七条四坊の塔の東側も境内とみて、倉垣院や花園院をここに求める見方が通説のようになっていたのですが、最近、奈良市埋蔵文化財調査センターの皆さんは、北側は薬師寺と同じように五条大路まであったのではないかということをおっしゃっています。大安寺境内が五条の条間北小路までだと杉山古墳の後円部に北端の道路が通ることになるのですが、杉山古墳の後円部は削られた様子は見られませんので、古墳は完全に境内に含まれると考えた方が良い。塔院以外はすべて六条四坊にあったのではないかとみる見方です。現在の大安寺さんの東側、池の付近から「東院」という墨書土器が発掘調査で出ており、ここは平安初期に「皇子大禅師」と呼ばれた早良親王が居た大安寺東院で、創建当初は大安寺の境内には含まれず、七条四坊の塔の東側も境内ではなかったという考え方で、こうした見方も可能です。

大安寺と薬師寺

「平城京における大安寺の位置」という図を見ていただきますと、右京に薬師寺、左京に大安寺があって、外京に興福寺、元興寺がありますが、メインの平城京そのものにあったのは大安寺と薬師寺しかない。元興寺とか興福寺とかは、国家の寺といえば国家の寺ですが、そのルーツをたどれば。元興寺の前身の飛鳥寺は蘇我氏の寺、興福寺は今も藤原氏の氏寺です。平城京遷都で国家が計画的に作った寺は大安寺と薬師寺だと言ってもよいかと思います。ただ、平城京の都市計画はシンメトリカル、つまり左右対称が原則なのですが、朱雀大路を中心軸にして大安寺と薬師寺の位置や東市と西市の位置は厳密には左右対称にはなっていません。さきほど大安寺の境内が薬師寺と同じく五条大路まであるという考え方を紹介しましたが、大安寺の境内が五条大路までということになると、大安寺と薬師寺の境内は同じ六条に境内を占め、その規模もよく似ているということになってきます。

次に、この地図「杉山古墳周辺地域の地形分類と主要な古墳時代の遺跡」（次々ページ）これを見ていただきますと大安寺のそばに、杉山古墳、この古墳が『資財帳』の「一坊池并岳」に該当します。「一坊池并岳」の「池」が杉山古墳の周濠、「岳」が古墳の墳丘とみられます。この古墳が造られているのは「緩傾斜扇状地」、地盤が非常に硬い地域、地盤がしっかりした地域です。この「緩傾斜扇状地」をたどっていきますと、古墳時

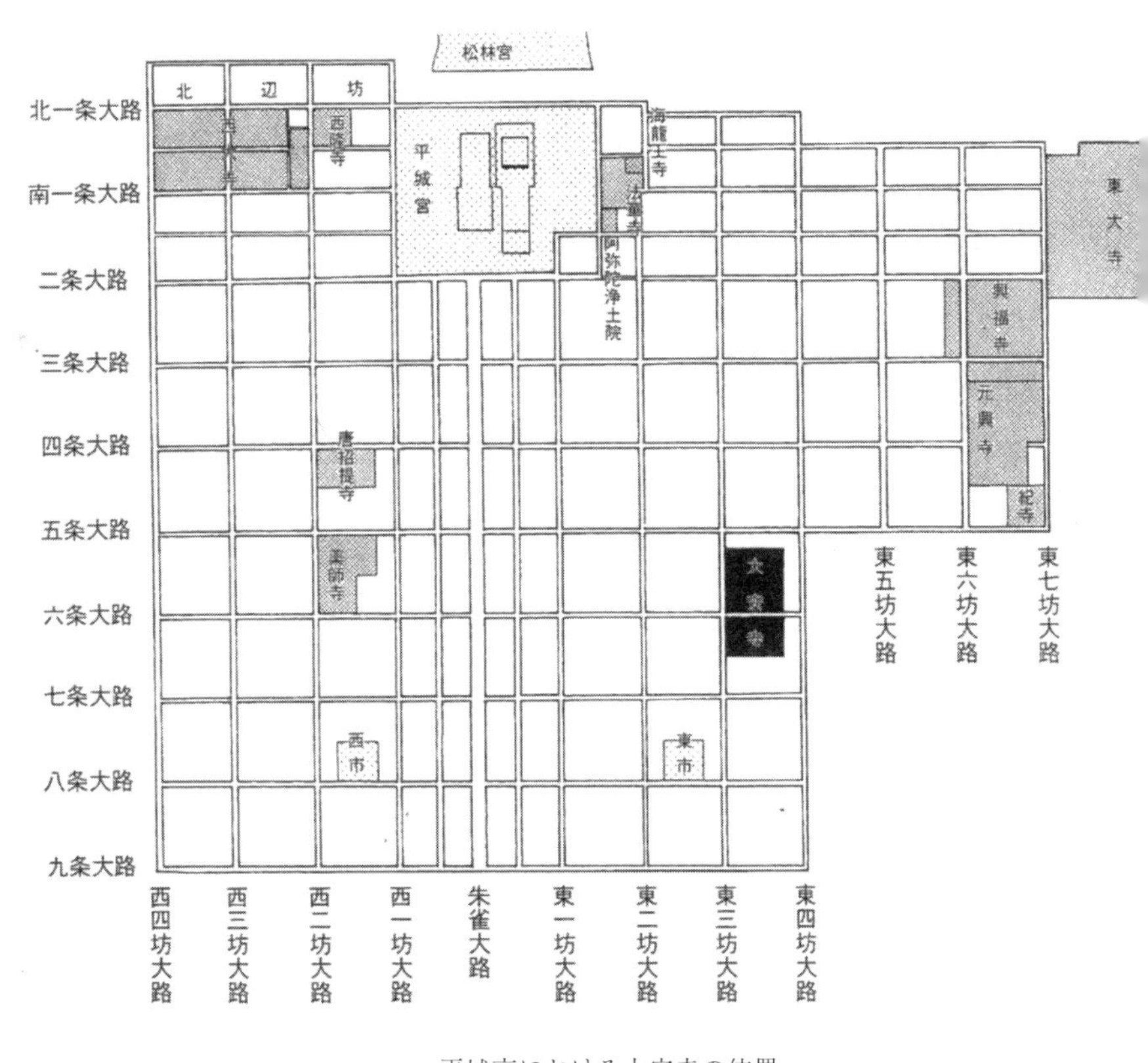

平城京における大安寺の位置

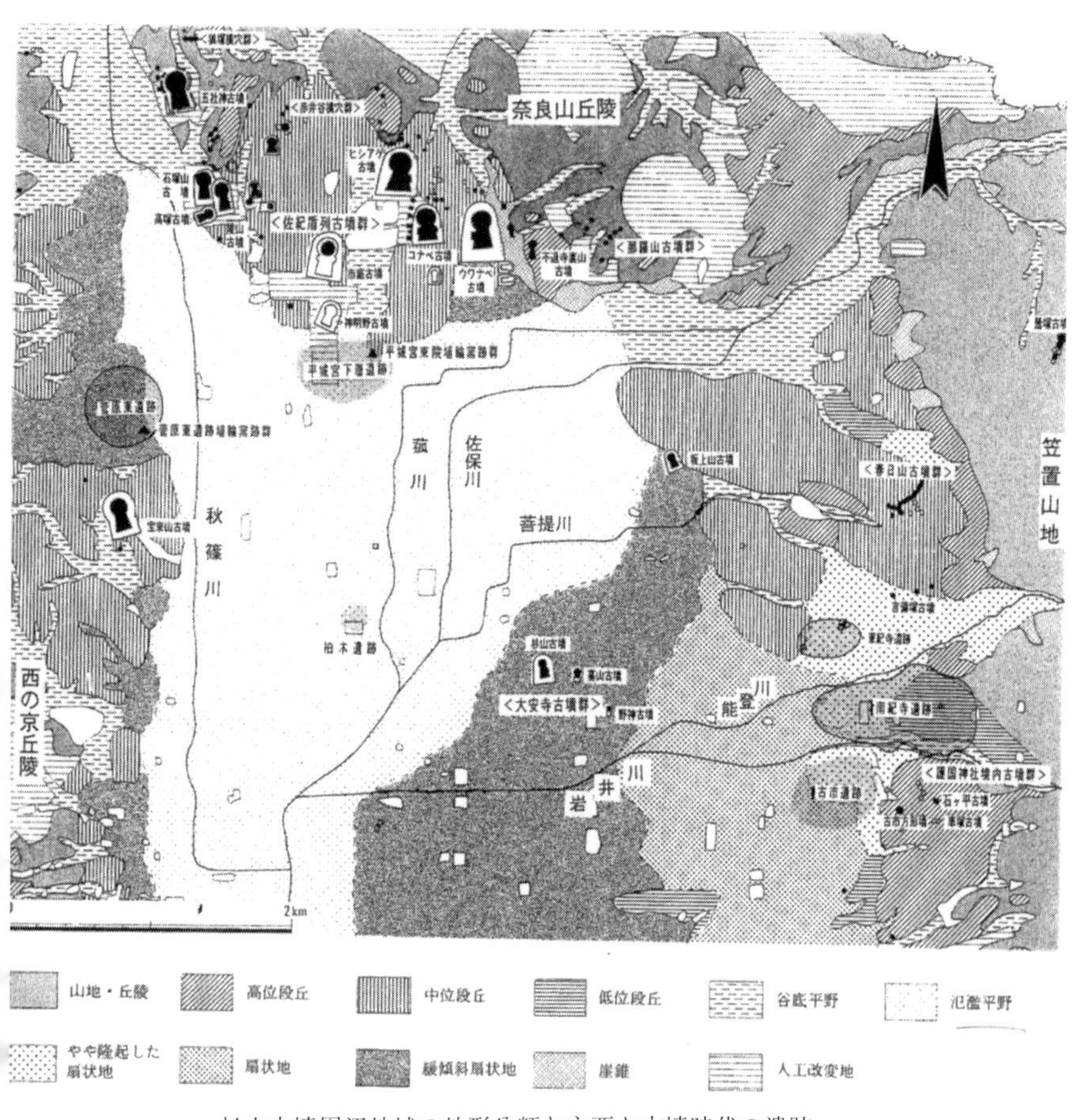

杉山古墳周辺地域の地形分類と主要な古墳時代の遺跡

代、五世紀の古墳がずっと並んでいます。西の方にはありません。つまり、大安寺はこの古墳が造られた左京六条四坊の「緩傾斜扇状地」に造られていることがわかります。

一方、薬師寺の立地を見ると薬師寺は秋篠川の西、右京六条二坊にあります。もう一つ西の六条三坊に作れば、西ノ京丘陵の非常に堅牢な土地に乗るのですが、六条二坊の薬師寺の土地はやや柔らかい「氾濫平野」に位置しています。つまり掘っても、掘っても硬い赤土が出て来ない地域です。ただ、薬師寺の境内の西半分ぐらいは赤土が出てきます。私自身も唐招提寺の発掘を何度もしていますが、薬師寺の北、唐招提寺の右京五条二坊には硬い土の層がずっとありまして、唐招提寺の北部には丘があって、近鉄電車から見ると。鑑真さんのお墓の北の方に丘陵がありますが、あの丘陵が薬師寺の方まで伸びていて、それに薬師寺の西塔とか金堂が乗っているのですが、東塔は乗っていない。東塔地下の地盤は柔らかい。そんなことがあって、地盤の問題もあって大安寺と薬師寺は完全シンメトリカル、つまり左右対称になっていないのではないかと私は考えています。これが平安京になりますと、平安京の東寺と西寺は完全にシンメトリカル、左右対称に作っています。

平安京への遷都、奈良から京都へ都が移された理由の一つに、「奈良時代、平城京では仏教が力を持ちすぎて、その弊害が出てきたので平安京に都を移した。そのため大寺院は奈良に残された。」というようなことを教科書には書いていますが、それは全くでたらめです。東寺と西寺という国立の大寺院を新都にはシンメトリカルに作っているのです。これなどは明治以後の国史、日本史研究が排仏的な「水戸史学」が基盤になっている弊害だと言っても良いでしょう。

大安寺の堂塔

『資財帳』は大安寺の寺地の次に「合門玖口（合わせて門九口）」と書いています。九つの門が開く。仏門が二口、僧門が七口だとします。仏さまの門が二つ、お坊さんの門が七つ。仏門には「神王金剛力士」「梵王帝釋」「波斯匿王（はしのくおう）」「毗婆沙羅王形（びんばさらおう）」があるとしていますので、これらは仏像のところで南中門あるいは中門とそれに続く回廊にあるとしていますので、仏門というのは中門と南門であることがわかります。「南大門」という呼び名はこの頃、正式にはありませんので、南門。この南門と金堂院の門である中門が仏さまの門。この二つの門はお坊さんたちが普段は出入りしない、できない門であった可能性があります。

東大寺の大仏殿へ行く時、大仏殿は東大寺の金堂です。大仏様へ行くのに南大門をくぐります、鹿がいっぱい居て、仁王さんおられる南大門を潜って入って、中門まで行ったら、正面の中門からは入れません。大晦日から元旦、行事の時だけ開けていますが。西の脇門から入るとチケット売り場があって、中門のところへ戻って行って、参道から大仏殿の中に入りまして、大仏さんを見て、やっぱり大きいなということになります。これは本来、不埒なことなのです。本来、大仏様を拝むのは中門のところです。中門の外側から拝むとで充分なのです。金堂は仏様をお祀りする厨子のような建物、いわば仏壇、仏壇の中に入るようなことはありません。法隆寺の金堂でも狭いです。人が入るようにはできていない。仏さまをまつるお坊さんしか中門から中へは入らない。俗人はおそらくは中門まで、これが奈良時代のお寺です。東大寺大仏殿など、私も外国のお客さんの案内で、登壇参拝のお願い、許可願の書類出して、大仏さんのお膝元まで行くというようなことをしておりますが、こんなことはもとよりもっての外です。

その次は「合せて堂参口」、一つは「金堂」で、建物は「長さ十一丈八尺・広さ六丈・柱高一丈八尺」。間口が約三五メートル、奥行が約一八メートルの建物で、興福寺金堂が間口、十丈九尺ですので、興福寺よりも大きな金堂です。桁行七間、梁間四間ぐらいの建物と見られています。

次の一口は「講堂」で、これは「長さ十四丈六尺・広さ九丈二尺・柱高一丈七尺」。大安寺小学校のグランドでその遺構が見つかっています。平面規模では金堂よりも広い建物です。桁行九間で梁間六間あるいは桁行七間で梁間七間の建物が推定されています。

さらに一口は「食堂（じきどう）で、「長さ十四丈五尺・広さ八丈六尺・柱高一丈七尺」と、講堂に次ぐ広さをもつ建物です。食堂については、後で出てくる「太衆院（だいしゅ）（大衆院）」に「厨（くりや）」、「竈屋（かまどや）」、「井屋」、「碓屋（うす）」があると記していますので、こうした調理場のある太衆院の近くにあったことがわかりますが、その確実な遺構はまだ見つかっていません。大安寺で「堂」と呼ばれているのは、金堂と講堂と食堂で、この三堂が特に重要な建物であったことがわかります。

金堂は仏様を安置する建物。つまり、仏様のお住まいです。

講堂は一般に英訳すると「Lecture Hall（レクチャー・ホール）」あるいは「Assembly Hall（アッセンブリー・ホール）」。お坊さんが勉強したり、交流する場。交流とは、ちょっと一杯飲もかというようなことではなく、「このお経のここが私には理解できないが」といったこと、これをお互いに、そこへ行くと、たぶん立ち話的みたいなことをいっぱいしていたのだろうと私は思います。お坊さん同士や偉いお坊さんを捉まえてやる。今、日本ではそういうことはほとんどないと思いますけど、古代には大安寺さんにいらっしゃったお坊さん、南都六宗というのは、後世の宗派とは違い、学部、学派のようなもの、お寺の中には、華厳の人も居たし、三論の人も居た。華厳の勉強をしている人が三論のことをちょっと教えて、というようなこと、これを重視したらアッセンブリー。偉いお坊さんの解釈を聞くということなら教室、その場合は「レクチャー・ホール」。あるいは「School（スクール）」でもいいかと思います。

食堂もお坊さんのための建物。お坊さんが食堂作法をしつつ、食事をとるところですが、仏様も祀っています。食堂作法というのは、今は儀式的にしか残っておりません。有名なのは東大寺の「お水取り」の時の食堂作法。かつては、日本中あちらこちらのお寺にも食堂作法があり、作法に従い僧侶達は食事をとりました。

次は「合楼弐口」、「合せて楼二口」。一口（一棟）は経楼でこれはお経の書庫。「長さ三丈八尺、広さ二丈五尺」。一口は鐘楼。「丈尺如経楼」。数字を書かずに、「丈尺は経楼の如し」とします。同じ大きさの釣鐘堂です。二階建ての「楼」になっているのは時報としての鐘の音が寺内に広く聞こえるようにです。この釣鐘ですが、今、日本では金具で吊った撞木（しゅもく）で撞いています。しかし、奈良時代以前の飛鳥時代のお寺では、そうせずに、棒を持って横からボーンと撞いたようです。昨日、奈良国立博物館の「みほとけのかたち展」（二〇一三年七月二〇日〜九月一六日開催）のニュースをテレビで見ていますと、中宮寺の「天寿国繍帳」が展示されていました。あの「天寿国繍帳」に釣鐘堂の絵があるのをご存じでしょうか。「天寿国繍帳」の釣鐘は、お坊さんが撞き棒を手で持って鐘を撞いています。「天寿国繍帳」については教科書の写真でも見ておられるとは思いますが、ぜひそういうところ

天寿国繍帳の鐘楼（国宝・中宮寺蔵）

も見て頂いたらと思います。

その次は「合せて廊壹院」。これは回廊のことです。大安寺の回廊は中門の左右から延びて、北に折れ、さらに内側に折れて金堂に繋がっています。金堂前を囲っていますので一院です。この金堂東西脇の回廊が「各長さ八丈四尺、広さ二丈六尺、高さ一丈五寸」。東西の南北方向の回廊が各、「長さ二十丈五尺、広さ二丈六尺、高さ一丈五寸」ということです。大安寺の回廊は棟筋に壁があって、内外通れる「複廊」であることが発掘調査でわかっています。この回廊の壁表裏に羅漢画像九十四躯などの壁画が描かれていたとみられます。

「合せて食堂の前の廡廊」、これは食堂に繋がる渡り廊下で、東西各「長さ五十五尺、広さ一丈三尺、高さ一丈五寸」。次に、経楼、鐘楼、講堂の三方、食堂への廊下があって、「合せて僧房壹拾参條」とあります。ここは重要でして、僧房については後で、また申し上げます。その次が「井屋」、井戸が二つ。そして「宿直の屋陸口」。「宿直」は「とのい」、この「宿直屋」が六棟。「温室院の室」が「参口」。「温室院」、これはお風呂。続いて「合せて禅院舎捌口」として禅院という別院にある堂と六棟の僧房、廡廊をあげ、これらは檜皮葺きの建物。次が「合せて太衆院屋陸口」で一棟は瓦葺、五棟が檜皮葺です。「厨」、「竈屋」、「維那房」、「井屋」「碓屋」とあって、二棟ある「維那房」、これがおそらく、大安寺を管理運営する僧の三役、都維那の居所で、この一棟が瓦葺であったのではないかと思います。

その次が「合せて政所院参口」。政所院というのは、事務室、これは寺の事務、諸々の庶務をするところ。次は「合せて倉弐拾肆口」。倉庫が二十四棟あって二つの倉が一体化した雙倉が四棟、他に板倉と校倉造とみられる甲倉があり、倉垣院の他にも太衆院、禅院にも倉があったことがわかります。大安寺では倉垣院というのが、正倉とみられます。正倉院というのは、どのお寺やどの役所にもあった施設ですが、東大寺の正倉院だけしか残っていないので、「正倉は正倉院にとられ、大師は弘法にとられた。」とさえ言われています。お大師さんというのは、伝教大師最澄もいらっしゃるのですが、御大師さんといえばもう弘法大師、正倉院というと東大寺の正倉院があまりにも有名になりすぎたということです。

この倉の記述で「以前皆伽藍内畜物如件」となり、その他の池并岳、賤院、苑院、花園院や塔院の塔などについてはまったく触れていません。七条四坊にある七重塔とされる東西の塔の建設はこの『資財帳』以後のことなのです。

大安寺伽藍の配置

大安寺における最初の発掘調査は、昭和二十九（一九五四）年に建築史の大岡実先生たちが、大安寺伽藍の中軸を明らかにすることを目的に行った南大門跡、中門跡の調査が最初で、この大安寺と薬師寺の南大門・中門の調査によって、その正確な距離が明らかになり、平城京の都市計画を研究する上でも大きな成果をあげることとなりました。次に昭和三十八年になって、大安寺小学校の体育館の建て替え工事中に奈良時代の建物基壇に使われたとみられる凝灰岩切石が見つかり、これを契機に当時、奈良国立文化財研究所におられた杉山信三さん等が発掘調査し、大安寺小学校の校地の地下には大安寺の講堂、鐘楼、井屋、西僧房の遺跡が残っていること、その大きさはほぼ『資財帳』の記載どおりであることが明らかになりました。それまで、この現在の大安寺一帯が奈良時代の大安寺の跡であることは知られていたのですが、史跡に指定されていたのは地上に塔の土壇が残っていた塔跡だけで、他の伽藍の遺跡が地下に残っているとは誰もあまり深く考えてはいなかっ

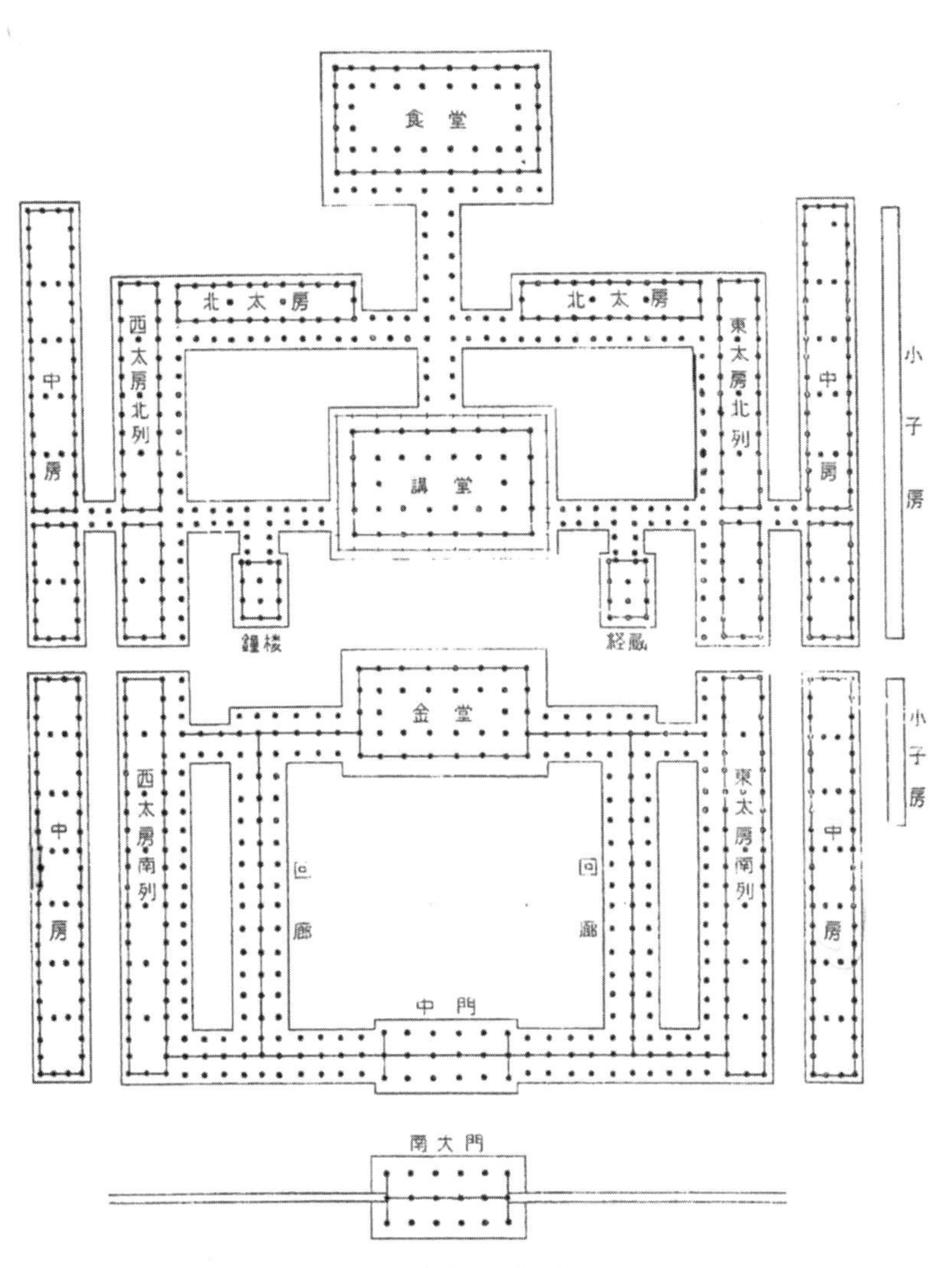
食堂
北太房
北太房
西太房北列
東太房北列
中房
中房
小子房
講堂
鐘楼
経蔵
金堂
小子房
西太房南列
東太房南列
中房
中房
回廊
回廊
中門
南大門

大安寺伽藍配置図

たのです。それが小学校の改築を契機にほぼ『資財帳』の記載どおりの伽藍の遺跡が地下に残っていることがわかったわけです。大安寺の発掘調査を担当されたのは大岡実、他に浅野清、杉山信三さんというような人達でした。この三人は全て建築史の人達ばかりでありまして、所謂、考古学の人ではありません。発掘調査で見つかった建築遺構と『資財帳』の記載内容との比較によって奈良時代の大安寺伽藍の研究が始まりました。

復元図では　まず『資財帳』が「仏門二口」とする仏門のひとつ南門がありまして、昭和三〇年代の図面では「南大門」と書いていますが、南門という方がいい。「南大門」という名前が出始めるのは、鎌倉時代で、このころから中門よりも格段に大きくなります。古くは中門のほうが大きく、奈良時代でも同じくらいの規模です。この南門を入ると、回廊に囲まれた金堂前の広場、奈良時代の仏教寺院は金堂前が儀式を行う広場になっているのが特徴です。金堂の北側に講堂があり、講堂の北の方に食堂があるようです。

僧房と僧の生活

講義を聞く講堂や食堂の周りには僧房と呼ばれるお坊さんの生活空間があります。「房」というのは部屋の意味で、後には独立した建物になり、「坊」と書かれ、「坊」の主(あるじ)が「坊主」、「坊さん」ということにもなります。アパートメントというかレジデントというのでしょうか、この当時はお寺の寄宿舎です。東西に内側から太房、中房、さらに小子房があり、それぞれ南列と北列があります。北側にも東西に北太房、北中房、小子房。この僧房が長大なことが大安寺の特徴で、南端は中門あたりまであります。かなりの数のお坊さんがいらっしゃった。金堂を囲んで、ずーっとお坊さんの住まいのレジデンス、今でいうアパート。僧房に住むお坊さんは、自房を出て、朝晩二食の食事を食堂でとります。決められた食事以外を「非食（ひじき）」と云いました。これは食事ではないという意味。平安時代の初めには中国に留学されたお坊さんが沢山いらっしゃいますが、その中で円仁さんとか円珍さんとか、それから成尋さんとか、その人たちの日記を読みますと、留学中、中国のお寺で一日何をしていたかを克明に描いています。「非食」をとったということが良く書いてあります。お茶を飲むのも非食で、「非食喫茶」という単語もあります。平安時代の中期まではお坊さんは確実に食堂作法を建前として、守っていたのです。朝なども多分、金堂へはお参りせず、講堂でお勤めをして、食堂に行く。儀式の時以外は当番の人だけが金堂に行ってお掃除をしたり、お供えの水や花を替えたり、作務ですね、作務衣の作務。作務はもともと禅宗の用語ですが、そんな仕事がいっぱいあったのです。今、仏さんの水を替えると言いましたが、皆さんは当たりまえの様に聞いておられましたが、奈良時代のお寺には生花（せいか）のようなものは供えていないはずです。奈良時代の供花の主体は造花だったようで、今も東大寺二月堂の修二会や薬師寺の花会式（修二会）では造化が供えられています。

お坊さんの一日の生活は鐘楼の鐘の音によって時間管理されていました。今は町中のお寺は騒音だと言われ、鐘を撞けないお寺さえありますが、東大寺二月堂の修二会にも「六時の行法」というものがありまして、一昼夜を晨朝・日中・日没・初夜・中夜（半夜）・後夜の六つに分け、この時刻ごとに念仏や読経などの勤行をします。この行法は日本だけではなく、敦煌などでもやっていたことがわかっています。また、飛鳥・奈良時代の供養で重要視されているのは「燃灯」、お灯明をあげること。お皿に油を入れた灯火。蝋燭は七世紀の末の中国にはあったのですが、一般的な灯火は菜種油です。二月堂の修二会でも堂内にはたくさんの灯明が灯されます。法隆寺などでは一週間ぐらいの行で、だいたい油一斗使うそうです。一八リットルのポリタンクひとつは多いですよ。東大寺の修二会では五斗ぐらい使っているはずです。修二会は悔過、仏に対する懺悔の行ですが、お坊さんの中で一番の懺悔の行は何か、これはしばしば禁止されています。中国の唐や隋の時代にも禁止されているのは、自分の指を焼きながら、お経を唱えたり、腕の皮を剥いで写経したりすること。こうした行為をしばしば禁止していたということはそれだけやる人が多かったということなのでしょう。チベットの仏教徒達は自分に火を掛けて、焼身自殺で抗議する。激しいですね。日本の僧尼令でも僧尼の焚身を禁じています。

こうした僧房で共同生活を送っていた僧侶たちも平安時代の後半になると、出身身分の差が出て来ます。「学侶」というのは学問をするお坊さんのこと、仏教の教学を講究する人たちです。堂の掃除や管理にあたる下層のお坊さんはお寺によって名前が違いますが、「堂衆」や「堂方」、修験や山伏と呼ばれる人々などはこれで、「行人」とも呼ばれます。この下にさらに「承仕」という雑役にあたる人々がいます。「学侶」は頭脳勝負で、「行人」は体力派、体育会系です。この体力派の人達は、例えば奈良の寺であれば、修行として春日山の花山に行って仏に供える下草や樒を取って来ます。これらも「花」と呼ばれ、「千日不断花供」という「行」を東大寺三月堂の堂衆たちが行っていました。法隆寺では学侶の本拠が聖徳太子をまつる聖霊院、堂方の本拠が宗源寺ということになります。学侶の人たちは貴族や上級武士、富農層の出身。同じ僧房で坊さんたちが共同生活している奈良時代には、僧侶の中では臈次、得度、出家何年といった年功序列はあっても、出身身分の差などはあまりなかったかと思います。

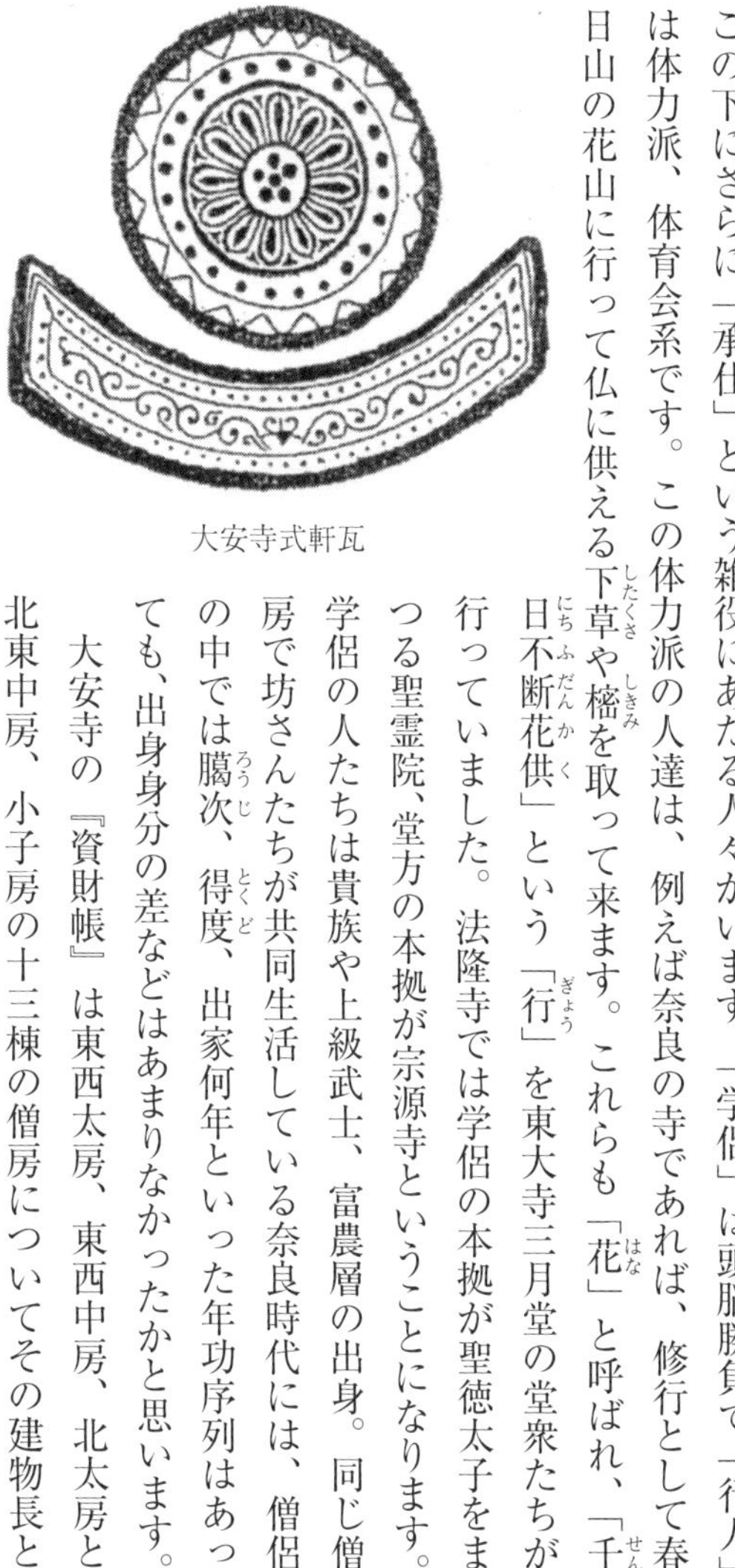
大安寺式軒瓦

大安寺の『資財帳』は東西太房、東西中房、北太房と北東中房、小子房の十三棟の僧房についてその建物長と幅を記しており、最後に「蓋檜皮(やねひわだ)」と記しており、僧房は『資財帳』が記された天平十九（七四七）年の段階では檜皮葺であったことがわかります。しかし、この大安寺の僧房跡を発掘調査するとたくさんの瓦が出土します。僧房は天平十九年以降に瓦葺になったのです。また『資財帳』には北西中坊が記されていませんが、これも発掘調査でその遺構が確認されており、『資財帳』以後に建築されたとみられます。平城遷都から三十七年もたった天平十九年になっても大安寺は完全には出来上がっておらず、塔の造営などは奈良時代の後半から末頃になることが、発掘調査で明らかになっています。大安寺の造営工事は『資財帳』以後も続いていたのです。

六　大安寺の資財4――所領

合食封壱仟戸（在土佐備後播磨丹波尾張伊勢遠江信濃相模武藏下野常陸上総等國）

参佰戸

右飛鳥岡基宮御宇　天皇歳次己亥納賜者

漆佰戸

右飛鳥淨御原宮御宇　天皇歳次癸酉納賜者

合論定出挙本稲参拾万束

在遠江駿河伊豆甲斐相模常陸等國

右飛鳥淨御原宮御宇　天皇歳次癸酉納賜者

合墾田地玖佰参拾弐町

在紀伊國海部郡木本郷佰漆拾町

四至（東百姓宅并道　北山／西牧　南海）

若狭國乎入郡嶋山佰町

四至四面海

伊勢國陸佰陸拾弐町

員弁郡宿野原伍佰町

開田卅町　未開田代四百七十町

四至東鴨社　南坂河　西山　北丹生河

三重郡宮原肆拾町

開十三町　未開田代廿七町

四至東賀保社　南峯河　北大河　西山限

奄藝郡城上原四十二町

開十五町　未開田代三十七町

四至東浜　南加和良社并百姓田　西同田　北浜道之限

飯野郡中村野八十町

開三十町　未開田代五十町

四至東南大河　西横河　北百姓家并道

右飛鳥淨御原宮御宇　天皇歳次癸酉納賜者、

合水田弐佰壱拾陸町玖段陸拾捌歩

　大倭國六十町三段三百歩

　近江國百五十六町五段百廿八歩

　右飛鳥岡基宮御宇　天皇歳次己亥納賜者、

合今請墾田地玖佰玖拾肆町

　伊勢國六百四十四町

　　員弁郡志理斯野百町

　　　四至東山并河　南百姓宅　西岡本　北川並山

　　同郡阿刀野百町

　　　四至東百姓墾田御井　南武賀河　西高山　北阿胡登山道

　　三重郡赤松原百町

　　　開八町　未開田代九十二町

　　　四至東上無清泉　南申社山道　北郡堺道　西山之限

　　同郡河内原六十町

　　　開六町　未開田代五十四町

　　　四至東椿社　南鎌山登道　西山　北牧木之限

同郡采女郷十四町

開二町五段　未開田代十二町五段

四至東公田　南岡山　西百姓宅　北三重河之限

同郡日野百町

四至東堀溝　南大河　西細河　北閏田里之限

鈴鹿郡大野百町

四至東北野　西高山　南石間河之限

河曲郡牛屋窪二十町

四至東鳥沼橋　北南岡　西棒迫之限

奄藝郡長濱五十町

四至東海　南沼　西河道　北道之限

播磨國壱拾伍町開六町　未開九町

印南郡五町　伊保東松原　赤穂郡十町　多太野東檳村前　西麻生前　北百姓就(熟)田　南骨前

備前國壱佰伍拾町開廿三町　未開一百廿七町

上道郡五十町　大邑良葦原　東山守江　西石間江　南海　北山　御野郡五十町　長江葦原　東丹比真人墾田

西津高界江　南海　北石木山之限　津高郡五十町　比美葦原　東堺江　西備中堺　南海　北山并百姓墾田堤之限

紀伊國伍町
海部郡木本郷葦原
四至東川　西百姓熟田
南松原　北山之限
近江國弐佰町
野州郡百町自郡北川原并葦原
四至東百姓熟田　西川
南里　北山之限
愛智郡百町長蘇原
四至東中海谷東上道　西秦武蔵家東上道
南氷室度　北胡桃按度
伊賀國弐拾町
阿拝郡柘殖原
四至東山　西百姓熟田
南路　北山
美濃國肆拾伍町
武義郡廿五町涅江野
四至東大岳　西縣岳
南路　北熟田之限
大嶋野廿町
四至東大河　西山
南北百姓家之限

右依前律師道慈法師、寺主僧教義等、敬白平城宮御宇　天皇天平十六年歳次甲申納賜
者

合薗地弐処（一在左京七條二坊十四坪 一在同京同條三坊十六坪）
合処処庄拾陸処　庄庄倉合廿六口　屋卌四口

大倭國五処
一在十市郡千代郷　一在高市郡古寺所　一在山邊郡波多蘇麻　一在式下郡村屋　一在添上郡瓦屋所

山背國三処
相楽郡二処　一泉木屋并薗地二町　東大路　西薬師寺木屋　南自井一段許退於　北大河之限
一棚倉瓦屋　東谷上　西路　南川　北南大家野堺之限　乙訓郡一処　在山前郷

摂津國一処
在西城（成カ）郡長溝郷庄内地二町　東田　西海即船津　南百姓家　北路之限

近江國六処
栗太郡一処　野州郡一処　神前郡一処　愛智郡一処　坂田郡一処　浅井郡一処

伊賀國二処
伊賀郡太山蘇麻庄一処　阿閇郡柘殖庄一処

境内にある施設の次に書き上げているのは、全国にある大安寺の領地、この所領が大安寺の運営を支えています。

食封

「食封」と書いて「じきふ」と読みます。朝廷、国家から与えられた封禄です。奈良時代は公地公民制ですが、「租庸調」の税のうち、特定の戸を封戸とし、その田租の二分の一と庸調のすべて、仕丁の労役を与えるというもので、封戸の米を食むということで、食封と呼ばれます。土佐以下の西日本、尾張以下の東日本各地に合わせて一千戸。五十戸が一郷ですから千戸は二十か村分になります。所在地の国司が、税を取り立てて大安寺に送るシステムになっており、受益権のみ大安寺が得るという制度です。相模国にあった食封は正倉院に残る天平七（七三五）年の「相模国封戸租交易帳」から、相模平野の中心、高座郡に一百戸、田三百四十五町九段三〇一歩あったことがわかります。

三百戸は飛鳥岡基宮御宇天皇（舒明天皇）から己亥（舒明天皇十一年・六三九年）に賜ったもの、七百戸は飛鳥浄御原宮御宇天皇（天武天皇）から癸酉（天武天皇二年・六七三年）に賜ったものとその由緒を記しています。この封戸の施入は縁起にも記されているところですが、『日本書紀』には朱鳥元年丙戌（六八六年）五月十四日に「大官大寺に七百戸を封して、税三十萬束を納む」という記事があり、舒明天皇の封戸施入の記事は『日本書紀』にはありません。『新抄格勅符抄』という平安時代に書かれた法制書では大安寺の食封は癸酉年に三百戸、丙戌年に七百戸と大安寺の封戸は、いずれも天武天皇の時代に施入されたとしており、経済史の水野柳太郎先生は食封の施入をわざと舒明天皇に遡らせて書かれているのではないかとみておられます。

論定出挙稲

「出挙（すいこ）」というのは種モミを貸し出し、収穫期に利子をつけて返済させるという制度で、もともとは勧農、救貧策であったものが、半強制な一種の税のようなものになっています。年利五〇パーセントまでという高利です。「論定出挙」とは国ごとに決められた正税の出挙数です。遠江国ほか六国が出挙として貸出す稲のうち、合計三十万束が大安寺のもので、これも各国の国司が運用し、その利子が毎年、大安寺に納められることになっています。三十万束は一束が当時の米五升（約三キログラム）ですから、今、お米が三キログラムで一二〇〇円ぐらい。すると、三億六千万円。これを貸し付け、三割から五割の利息を取るわけですから、これだけで、一億八百万から一億八千万の歳入となります。飛鳥浄御原宮御宇天皇（天武天皇）から、癸酉（天武天皇二年・六七三年）に賜ったものと食封と同じ由緒を記していますが、『日本書紀』では、大官大寺に税三十萬束を納めたのも朱鳥元年丙戌（六八六年）五月十四日としています。

墾田地と水田

墾田地は新たに開墾した田と「原」や「野」にある開墾予定地です。未開墾のものがあり、九百三十二町の中には「未開田代」が五百八十四町あります。「紀伊国海部郡木本郷」は、今は和歌山市内、紀ノ川の西北、加太の手前辺りです。東が人家と道、北は山、西は牧場、南は海だと四至が記されています。これで当時はわかったのでしょう。「若狭国乎入郡嶋山」は小浜市の内外海半島とみられています。伊勢国には六百六十二町ありますが、未開墾地も多くあります。「員弁郡宿野原」はいなべ市大安町、大安町の町名はこの大安寺の墾田があったことに因んでつけられています。「三重郡宮原」は四日市市、「奄芸郡城上原」は鈴鹿市の白子付近とみられ、四十二町としますが、開（開田）十五町と未開田代三十七町を合わせると五十二町になり、これが間違いなのか、恣意的に少なくしているのかが問題です。「飯野郡中村野」は松阪市付近です。これらの土地は飛鳥浄御原宮御宇天皇（天武天皇）から食封や出挙稲と同じく、高市大寺が建てられた癸酉（天武天皇二年・六七三年）に賜ったものとその由緒を記しています。

寺有の水田は二百十六町九段六八歩、一歩は六尺四方、三百六十歩（三十歩×十二歩）が一段、十段が一町です。大和国に六十町三段三百歩、近江国に百五十六町五段百二十八歩あり、飛鳥岡基宮御宇天皇（舒明天皇）から己亥（舒明天皇十一年・六三九年）に賜ったものとしています。百済大寺創建の年であり、所在地も国名だけで簡略であることに古代史の横田健一先生は、はなはだあいまいで不安な感じを与える。釈然としないと疑問を呈されています。

次に挙げているのは「今請墾田地九百九十四町」、これは前（さきの）律師の道慈（どうじ）と寺主の教義らの申請によって平城宮御宇天皇（聖武天皇）によって天平十六年甲申（七四四年）に賜ったものとしています。天平十六年という年は、『資財帳』が書かれた三年前、この年には恭仁京から難波へと都が遷され、十月には道慈が亡くなり、十一月には甲可寺に大仏の骨組みができる年です。施入に至る経過も記し、最近に与えられた恩恵を強調しているようにみられます。

伊勢国六百四十四町、員弁郡志理斯野、阿刀野はいなべ市、三重郡赤松原、河内原、采女郷、日野は四日市市、鈴鹿郡大野、河曲郡牛屋窪、奄芸郡長浜は鈴鹿市付近とみられます。播磨国十五町、印南郡は加古川から高砂、赤穂郡は赤穂、相生、上郡、備前国百五十町の上道郡、御野郡、津高郡は岡山市一帯ですが、南は海で、「葦原」ですので、海岸の低湿地。

紀伊国五町も木本郷の葦原ですので、既存の大安寺の墾田への追加であることがわかります。近江国の二百町も野洲郡の川原と葦原、愛智郡は長蘇原という原野です。伊賀国二十町は阿拝郡の柘殖原、美濃国四十五町は武儀郡、関市あたりの埿江野と大嶋野です。東海地方が多く、この頃には畿内周辺では新たな墾田地は確保できなかったことをものがたっているようです。

また、ここでも墾田地の合計は九百九十四町としていますが、伊勢六百四十四、播磨十五、備前百五十、紀伊五、近江二百、伊賀二十、美濃四十五の合計一千七十九町とは合致しません。ここは、恣意的に千町以内に納めた疑いがあると水野柳太郎先生が指摘されておられます。大安寺の危惧どおり、『資財帳』が書かれた二年後の天平勝宝元（七四九）年には諸寺のもつ墾田地の限度が定められ、大安寺は一千町が限度とされてしまいます。それにしても帳尻合わせにうるさい奈良時代に、この申告が僧綱所の審査をパスしたのが不思議です。僧綱所は見て見ぬふりをしたのかもしれません。

薗地と庄

「薗地」は野菜や果樹を植えた畠、二か所あって、いずれも平城京の中にあります。左京七条二坊十四坪と左京七条三坊十六坪です。七条二坊のほうは大安寺から西へ行ったJ

Rの踏切の南の方、七条三坊十六坪は現在の大安寺の前の道、六条大路の跡ですが、これを西へいったところの西南角、大安寺旧境内の隣接地です。

「庄」は地方にあって、寺院に付属する建物や土地。十七処書かれていますが、合計は十六処としています。庄の倉が合計二十六棟、屋が四十四棟あります。大和国内には五処あって、ひとつは「十市郡千代郷」、現在の田原本町千代から東北にある大安寺あたりです。次の「高市郡古寺所」は大安寺の前身である大官大寺の旧寺地、「山辺郡波多蘇麻」は現在の山辺郡山添村（旧波多野村）にあった「杣」、材木や薪炭などを大安寺に供給しています。「式下郡村屋」も田原本町、古代の官道である中ツ道に沿って村屋神社があります。この地は大安寺からまっすぐに南に行った場所です。「添上郡瓦屋所」というのは大安寺の瓦を造った造瓦所、瓦窯があったところで、奈良山丘陵の一画にあったとみられますが、まだ、発見されていません。

山背国には三処、山背は奈良山の向こうなので、山背と書きます。山城と書くのは、平安京が都になってからです。相楽郡に二処あって、ひとつは「泉木屋とその薗地」、西側には薬師寺木屋があり、北が大河、これは泉川、現在の木津川です。木津は泉津と呼ばれる材木の他、物資の集散地でもある平城京の外港で、丹波、近江、伊賀などで伐採された造営材は木津で陸揚げされたので、この地名があります。もうひとつが「棚倉瓦屋」これ

太山蘇麻庄とみられる尾山代遺跡（奈良市月ヶ瀬尾山町）

は綴喜郡井手町にある石橋瓦窯跡で、大安寺の創建時の瓦がこの瓦窯で焼かれたことが発掘調査で明らかになっています。乙訓郡の山前（やまさき）郷というのは現在の京都府乙訓郡大山崎町、ここも川港で淀川水運の要衝ですので、大安寺が倉庫のような港湾施設をもっていたようです。摂津国西城（成）郡長溝郷は現在の大阪市北区長柄あたりですが、これも津、川港のようです。近江国には栗太郡、野洲郡、神前（かんざき）郡、愛智郡、坂田郡、浅井郡にそれぞれ一処ありますが、大安寺が近江国にもっている水田や墾田地を管理する出先機関のようです。伊賀国の太山蘇麻庄（そまのしょう）は現在の京都府南山城村田山から奈良市の月ヶ瀬にかけての一帯とみられ、月ヶ瀬尾山（おやま）には、奈良時代の杣とみられる尾山代（おやみで）遺跡があります。阿閉郡柘殖庄は柘殖原にある二十町の墾田地の管理施設とみられます。

七　大安寺の資財5――備蓄米

合糒玖拾玖碩漆㪷壱勝
合米参阡参佰拾捌斛弐㪷捌勝
合籾参阡壱拾碩弐㪷弐勝
合稲弐佰弐拾万壱阡陸佰陸束捌把参分半
　通分稲一百八十八万五千七百六十六束八把分半
　　見一百卅三万六千四百十六束七把二分
　　毎年未納五十四万二千八百七十八束八把八分半
　　朽失无実悪稲六千四百七十一束二把
　僧分稲廿四万五百七十四束三把
　　見十万五千八百卌四束七把六分
　　毎年未納十三万四千七百廿九束五把四分

功徳分稲二万二千四百九十五束三把二分
見一万五千二百五十二束九把六分
毎年未納七千二百卌二束三把六分
盂蘭瓫(盆)分稲一万七千二百卌九束四把四分
見一万二千三百十一束五分
毎年未納四千九百卅八束三把九分
温室分稲三万五千五百廿束九把七分
見二万七千五百六束四把
毎年未納八千十四束五把七分
右以去天平十八年十月十四日、被僧綱所牒偁、左大臣宣奉　勅、大安寺縁起并流記資財物等子細勘録、早可言上者、謹依牒旨、勘録如前、今具事状、謹以言上、
天平十九年二月十一日　都維那僧霊仁
寺主法師教義
上座法師尊耀
僧綱所、左大臣宣偁、大安寺縁起并流記資財帳一通、綱所押署、下於寺家、立為恒式、以

伝遠代者、加署判下送、今須謹紹隆仏法、敬誓護天朝者矣、
天平廿年六月十七日　佐官業了僧願清
大僧都法師行信　佐官兼薬師寺主師位僧勝福
佐官兼興福寺主師位僧永俊
佐官師位僧　恵徹
佐官業了僧　臨照

『資財帳』の最後は大安寺内に貯蔵された稲米、寺領からの貢納米で、金属や繊維製品と同様、現物貨幣としての価値をもっています。

「糒」は「干し飯（ほしいい）」、非常食です。湯をかけると飯になるので、兵糧や携帯食として利用されました。桜餅に使う「道明寺粉」です。道明寺の尼さんが御仏飯（おぶっぱん）を干して作ったから道明寺の名があります。九十九碩（石）七㪷（斗）一勝（升）。奈良時代の体積、容量は斛（碩・石）・斗・升・合・勺、十進法ですが、現在よりも少なく一升が現在の約四合、米三千三百十八斛二㪷八勝は玄米。三千十碩二㪷二勝は籾、米は通常、籾か稲穂を束ねた穎稲（えいとう）で倉に保管されており、稲一束は十把、籾ならば一斗、脱穀すれば玄米五升になります。「二百二十萬一千六百六束八把三分半」は米だと十一万石を越える量で、毎年の繰り

越しの蓄積かとみられます。また、「毎年未納」分を書き上げていますが、これは出挙分の未納と思われます。稲については通分、僧分、功徳分、盂蘭瓫分、温室分に分けています。

こうして「右、去る天平十八年十月十四日　左大臣勅を奉じ宣らる僧綱所牒の偁う大安寺縁起并流記資財等　子細に勘録し　早言上すべき牒の旨に依り謹んで勘録　前の如し今　具に事を状し謹んで言上す」ということで『大安寺伽藍縁起并流記資財帳』は締めくくられています。

まとめ

王家との関わり

『大安寺伽藍縁起并流記資財帳』を読むと、古代の寺院には実にさまざまな資財があったことがわかります。発掘調査では出土しないようなもの、仏像、経典、仏具、調度から米穀、布・織物、金銀貨幣。これらの実物は残されていませんが、正倉院宝物などからどのようなものであったかがわかります。また、失われた堂塔の建物もその規模や構造が記されており、これは発掘調査で検出される地下に残された大安寺の遺跡と考え併せる上で重要な資料であり、寺を支えた地方にある寺領や杣などもわかり、古代寺院の在り方を知る上でかけがえのない史料であるといえます。

『資財帳』には寺の縁起をはじめ、仏像、経典、供養具、寺領については、歴代天皇の施入といったその由緒を記しています。それを整理すると次のようになります。

○飛鳥岡基宮御宇天皇・前岡本宮御宇天皇（舒明天皇）
・三百戸封（食封　三百戸）
己亥（舒明十一・六三九年）※天武二年癸酉・六七三年施入か？
・水田　二百十六町　己亥（舒明十一・六三九年）
・組大灌頂幡　一具　庚子（舒明十二・六四〇年）
○袁智天皇（皇極太上天皇）坐難波宮
・繍仏像　一帳（具脇侍菩薩八部等卅六像）（庚戌年冬十月始辛亥年春三月造畢）
○淡海大津宮御宇天皇（天智天皇）
・丈六即像　二具（金堂本尊カ）
・即四天王像　四躯　在仏殿
○飛鳥浄御原宮御宇天皇（天武天皇）
・七百戸封（食封　七百戸）
癸酉（天武二・六七三年）※『書紀』は朱鳥元年丙戌・六八六年
・卅万束　論定出挙稲（論定出挙本稲三十万束）
癸酉（天武二・六七三年）※『書紀』は朱鳥元年丙戌・六八六年
・九百三十二町　墾田地（墾田地九百三十二町）

○奉為浄御原御宇天皇　皇后并皇太子（持統天皇・草壁皇子）
癸酉（天武二・六七三年）
・繍菩薩像　一帳　丙戌年（朱鳥元・六八六年）七月
○飛鳥浄御原御宇天皇・飛鳥宮御宇天皇（持統天皇）
・繍大灌頂幡　一具　癸巳年（持統七・六九三年）十月廿六日　為仁王会
・金光明経　一部八巻　甲午年（持統八・六九四年）
・金剛般若経　百巻　甲午年（持統八・六九四年）
○平城宮御宇天皇（元正天皇）
・供養具二十口　養老六年壬戌（七二二年）十二月七日
・秘錦大灌頂幡一具　養老六年壬戌（七二二年）十二月七日
・一切経一千五百九十七巻　養老七年癸亥（七二三年）三月九日
○平城宮御宇天皇（聖武天皇）
・伎楽　二具　天平二年　庚午（七三〇年）七月十七日
・羅漢画像九十四躯、金剛力士形八躯、梵王帝釈・波斯匿王・毗婆沙羅王像
並在金堂院東西廻廊中門
天平八年　丙子（七三六年）

・九百九十四町墾田地（今請墾田地九百九十四町）
天平十六年甲申六月十七日（七四四年）
前律師道慈法師、寺主教義らの申し出に依る

これをみると、舒明天皇を始祖とする飛鳥時代後半から奈良時代の天皇家との深い関わりがあることがわかります。

舒明天皇が遠き皇祖や代々の天皇のために、天皇家として初めて建てた寺院、いわば、舒明王家の氏寺が百済大寺なのです。「大寺」と呼ばれるのはこの寺だけで、この呼び名は単にその規模が大きいというだけでなく、偉大な、大王（おおきみ）の、といった意味があるようです。縁起では聖徳太子の「羆凝（くまごり）村の道場（羆凝寺）」を太子の遺言によって大寺としたと記していますが、法隆寺のように特別に太子と関わる物品や羆凝寺の由緒を伝える品などは『資財帳』には記されていません。舒明天皇が創建時に食封と水田を施入したとしますが、これは王家の始祖である舒明天皇との関係を説くため、施入時期を遡らせた可能性が指摘されているところです。

大寺の造営事業は、舒明天皇の皇后であった皇極天皇に引き継がれ、巨大な繍仏が造られ、その子天智天皇が造営を引き継いで、丈六の本尊仏と四天王を造ったとします。天智天皇の弟君、天武天皇は高市に大寺を移し、大官大寺（オオツカサノオオテラ）と

名づけ、国の大寺、国家第一の寺ともなり、大安寺の経営基盤ともなる寺領もこの天武天皇が施入したものが大きな割合を占めています。天武天皇不予の際には、皇后の鸕野皇女（うののひめみこ）（持統天皇）と皇太子の草壁皇子らが繍菩薩像を造り、持統天皇は仁王会に繍幡、金光明経を施入していますが、ただし、この時に幡やお経を施入したのは大官大寺だけではありません。縁起では持統天皇が寺主の恵勢法師に寺の鐘を鋳造させたとしています。

天武天皇の孫の文武天皇は九重塔を立て金堂を作り、丈六像を造ったと縁起が記していますが、これは工事途中で、火災（おそらくは雷火）で焼失したことが発掘調査で明らかになっています。

奈良時代の天皇は、ほとんど天武天皇のご子孫で、奈良時代というのは「天武王朝の時代」と呼んでもよいかと思います。元正天皇（氷高皇女）は天武天皇の初孫で、二歳で病気になった時、お爺さんの天武天皇は大官大寺で百四十余人を出家させています。父が皇太子であった草壁皇子、母が阿閉皇女（元明天皇）、文武天皇は弟です。弟の子が首皇子（おびと）（聖武天皇）、聖武天皇の伯母君ですが、聖武天皇の母親がわりであったようです。

元正天皇は母の元明天皇の一周忌の供養に鉢や鋺、皿などの供養具、幡を施入、翌年に一切経を施入し、そして今上の聖武天皇も伎楽具、金堂院の回廊や中門に諸像を描かせ、九百九十四町墾田地を施入したとします。

奈良時代の初めの元明天皇や元正天皇は首皇子（聖武天皇）が即位するまでの中継ぎの天皇とされており、新都の平城京は首皇子のために造られた都だとされます。平城京左京にある大安寺に対して、右京にある薬師寺は、天武天皇が皇后の鸕野皇女の病気平癒のために発願したお寺です。薬師寺は天武天皇のお寺、「天武王朝」歴代天皇の健康長寿、玉体安穏を通じて国家安泰を祈る寺であるのに対し、大安寺は王家の祖、舒明天皇が創建した王家の寺であったことは、『資財帳』に記された大量の財物だけでなく、財物の由緒来歴からもうかがうことができます。『資財帳』は舒明天皇から今上の聖武天皇に至るまでの王家歴代との深いつながりを主張、歴代天皇の保護を強調しているのです。

単に「大寺」とよばれていた

『日本書紀』をみると、まず、天武天皇が病で倒れた天武天皇十四（六八五）年九月、回復を祈るお経を三つの寺に読ませていますが、これは大官大寺、川原寺、飛鳥寺の順に書かれています。天皇が崩御された後、朱鳥元（六八六）年十二月、百か日の無遮大会を開いた五つの寺は大官、飛鳥、川原、小墾田豊浦、坂田の順になっています。

これに続く『続日本紀』の大宝三（七〇三）年正月の持続太上天皇の二七日の斎会の際は大安（大官大寺）、薬師、元興（飛鳥寺）、弘福（川原寺）の順に記されています。

『続日本紀』は奈良時代のことを記した正史ですが、編纂されたのは平安時代になってからですので、編纂時の寺名「大安寺」と書かれています。大安寺の名前は平安時代末の歴史書『扶桑略記』では天平十七（七四五）年に大官大寺を改め大安寺とした。「天下太平万民安楽」の義なりとしますが、正倉院文書には天平十（七三八）年九月九日の「大安寺牒」という文書があって、天平十年には大安寺であったことがわかります。天平九年四月六日の「皇后宮職牒」では「大寺三綱所」、天平七年十一月十日の「相模国封戸交易帳」では「大官寺食封」、天平三年九月二日の「大寺牒」もあって、天平十年以前は「大官寺」あるいは、単に「大寺」とよばれていたとみられています。大安寺の名はおそらくは、天平年間の道慈による伽藍修造後の後の名のようにみられます。道慈が大般若経転読会の恒常化を奏上した天平九年、この年は天然痘が大流行した年で、大般若会も開かれるようになった、「天下太平　万民安楽」を祈って寺号が改められたのは、この年こそがふさわしいと古代史の井上薫先生は考えておられます。

奈良時代に入り、天平七（七三五）年五月二十四日に徐災のために大般若経を転読させたのは大安、薬師、元興、興福の四寺、これが平城京の四大寺です。天平十七（七四五）年五月の地震で大集経を読ましめたのは大安、薬師、元興、興福と順序は同じです。東大寺大仏殿が完成した後は、興福寺の次に東大寺が書かれ、奈良時代の後半になると、大安寺、薬師寺、東大寺、興福寺となり、平安時代には東大寺、興福寺、元興寺、大安寺とその順序が逆転してしまいます。

このように正史に記載される諸寺の順序が当時の寺格を現しているとすれば、大官大寺、大安寺が奈良時代を通じて、文字通り筆頭寺院であったことがわかります。

ただ、大安寺の『資財帳』が記された天平十九年の九月には『東大寺要録』によると、大仏の鋳造が始まり、東大寺はやがては、大安寺に代わる王家の寺の位置を占めるようになります。こうした動きの中で、従来の大寺の筆頭の位置を確保する必要のある大安寺としては、『資財帳』を通じ、権利確保の証として、聖徳太子以来の由緒、舒明天皇以来の歴代天皇の厚遇を説き、王家の寺の由緒を強調することで、既得権益を守ろうとしたようにみられます。『資財帳』には天平十九年当時の大安寺のこうした思惑も見え隠れしているようです。

大安寺の造営と道慈

『資財帳』には、大安寺の平城京での造営事情や「大安寺」への改名のことなどは記されていません。これは、当時これらのことが周知のことであったため略されたのかもしれませんが、やはり、大寺の由緒を語る上では重要でないと判断されたのだとみられます。

『続日本紀』には霊亀二（七一六）年五月十六日に「始めて元興寺を左京六条四坊に徙し建つ」という記事があります。また、二年後の養老二（七一八）年九月二十三日にも「法興寺を新京に遷す」という記事があって、法興寺は飛鳥寺、平城京の元興寺のことですので、元興寺の移建記事が重複してあります。これについて、最初の記事で元興寺を移したという左京六条四坊は大安寺の所在地ですので、これは大安寺の誤りだと建築史の福山敏男先生が指摘され、これが妥当だとされています。文武天皇が藤原京で建てかけた新しい大官大寺は工事途上で焼失していることは発掘調査で明らかになっていますが、平安時代の歴史書、『扶桑略記』には和銅四（七一一）年に大官大寺は藤原宮とともに焼けたとしており、これが正しければ、火災の後、五年後には平城京での造営が計画されたことになります。その後、養老六（七二二）年には元正天皇によって、供養具や幡が大安寺に施入されていますので、大安寺の造営工事はある程度は進んでいたようです。

藤原京時代の四大寺は大官大寺、薬師寺、法興寺（飛鳥寺）、弘福寺（川原寺）ですが、平城京にはその後身である大安寺、薬師寺、元興寺と弘福寺に代わって興福寺が営まれます。

大安寺の場合は前身の文武朝大官大寺が焼失しており、まったくの新築ということになりますが、それでも前身の大官大寺の軒瓦を大安寺に使用していますし、繍仏や本尊の丈六仏など百済大寺、高市大寺(天武朝大官大寺)から移されたものがあることがわかります。

また、薬師寺は藤原京薬師寺（本薬師寺）とほぼ同規模の伽藍を平城京で営んでおり、瓦も本薬師寺とほとんど同じということで、本尊の薬師三尊の様式や東塔の建築様式ともからみ、建物は移建か新建か、本尊は移座か新鋳かという「薬師寺論争」が続けられてきたところです。これについては本薬師寺と平城薬師寺の発掘調査の進展によって、本薬師寺には奈良時代にも建物があったこと、本薬師寺と平城薬師寺では建物構造が異なることから建物移建説はほぼ否定され、平城薬師寺は旧態を伝えた古い様式で新築されたとみられています。しかしながら、本尊薬師三尊像が移座か新鋳かは、未だ結論が出ていません。大安寺の本尊が移座であれば、薬師寺もその可能性があるようにも思われます。ただ、元興寺の場合は、飛鳥寺の本尊である釈迦如来は飛鳥大仏として今も飛鳥にあり、その位置を動いてはいません。飛鳥寺には鎌倉時代頃まで建物があったことがわかっていますが、元興寺では僧房であった極楽房の屋根に飛鳥時代の瓦が今も葺かれており、僧房など一部の建物は移築されているのかもしれません。いずれにせよ、平城京に寺を遷すということは伽藍を移建、移設するといったことでなく、宮と同じく、一部移建した建物もあるが、ほとんどは新建で、名籍を移し、僧侶もほとんどが移るが、旧寺の伽藍を取り壊すわけではなく、旧寺は新寺と一体のものとして管理されていたようにみられます。

平城京における大安寺の造営については、僧の道慈が携わったとされます。『続日本紀』には天平九（七三七）年に道慈が大般若経転読について奏上した際に「天勅を奉けたまはりて　この大安寺に任けられて修め造りて以来」とのべており、天平十六（七四四）年に道慈が亡くなった時には「ちかごろ大安寺を平城に遷し造る　法師に勅してその事を勾当せしむ　法師尤も工巧に妙なり　構作形製　皆その規模を稟(う)く　有る所の匠手嘆服せざるなし」とその造営に関する高い技術を評価しています。『扶桑略記』や『東大寺要録』は天平元（七二九）年に道慈に「改造」させた。唐の「西明寺」の規模と為した。「西明寺の結構の体を取る」としていますので、聖武天皇の勅命によって、造営工事に道慈が携わることになり、造営計画の変更があって、中国風の寺院になったとするのです。天平元年からこの変更工事が始められたのなら、天平十年頃に「大安寺」の名が現れること、天平九年に大安寺の雷火等の災害が無きよう、今後も大般若会を続けたいという奏上とも矛盾しません。この頃に大安寺の伽藍がほぼ完成したのではないでしょうか。

　道慈は『続日本紀』によれば、大和国添下郡の人とされます。添下郡は現在の奈良市の西半分と生駒市北部、大和郡山市の範囲です。郡山というのはこの添下郡の郡の役所、郡(ぐん)衙(が)があったところです。おそらくは郡山城のある丘にあったのでしょう。七十有余で亡くなったとしていますので、生まれたのは七世紀、天智天皇の末年か天武天皇の御代に生まれたということになります。天平二十一（七四八）年に亡くなった行基さんが八十一歳ということですので、少し年下か同年輩です。俗性は額田氏、額田氏は大和郡山市の南部、近鉄平端駅付近の額田部町一帯を本拠とした氏族です。このあたりは平群郡、添下郡と山辺郡の境界で、允恭天皇に額に巻き毛のある馬を献上したので、額田の名を賜ったと伝え、軍馬の飼育や軍事、外交に携わった一族とされます。現在の額安寺が額田寺とよばれる氏寺で、この道慈との関わりから平安時代後期から鎌倉時代には額安寺が聖徳太子の熊凝寺（熊凝精舎）とされるようになったようです。

道慈律師像（大安寺蔵）

奈良時代の詩文集『懐風藻』は道慈について「聡敏にして好学　英材明悟」、『続日本紀』は「性聡悟」と称賛しています。文武天皇の大宝二（七〇二）年に派遣された遣唐使とともに唐に渡っています。この遣唐使は実に三十年ぶりの遣唐使で、「日本」の国号を使用し、唐との新たな関係正常化を図るというものでした。粟田真人が大使で、万葉歌人として有名な山上憶良が少録として渡唐しています。当時、中国は則天武后の時代で、外交不振の時代でもあり、歓迎を受け、粟田真人は「良く経史を読み、属文を解し、容止典雅なり」と評されたという。道慈は在唐十七年、『懐風藻』によれば、在唐中、高僧百人が宮中に招聘され、仁王般若経を講じた際には、道慈が学業顕秀ということで、これに選ばれ、特に手厚く賞されたと伝えています。道慈が帰国するのは、玄宗皇帝の開元六年、日本では養老二（七一八）年のことです。この時に派遣された遣唐使は多治比県守で、副使が藤原宇合。阿倍仲麻呂、吉備真備、玄昉らが道慈の入れ替わりに唐へ渡った留学生、留学僧で、墓誌が発見され話題になった井真成が渡唐したのもこの時です。

道慈は帰国の翌年の養老三（七一九）年には神叡とともに有徳、優能をほめられ、食封五十戸が与えられます。天平元（七二九）年には僧綱の一人である律師に任じられ、天平八（七三六）年には、身の回りの世話をする扶翼童子六人が付けられています。『懐風藻』には、竹渓山寺にあって、長屋王宅の宴の招きを辞する詩を収録しており、「任を解いて帰りて山野に遊び時に京師に出でて大安寺を造る」とも記しており、道慈が都の寺を離れ、禅行修行のため、俗に交わらずに山居すること、山林修行を望んだことがわかります。後世、弘法大師空海は道慈を「わが祖師」と呼んだと伝え、空海が行った「虚空蔵求聞持法」といった山林修行法は、道慈が我が国に伝えたものという伝承もまた、道慈が山林修行を好んだからだということができます。道慈とともに「釈門の秀者」と評せられた神叡もまた、芳野（吉野）の現光寺に庵をむすび、二十年間三蔵を学び自然智を得て、芳野僧都と称されたとされ、おなじく修行の地を山林に求めたことがわかります。

道慈が世俗の宴への招待を辞退するのも、戒律の上も宴会での飲酒食肉、奏楽は拒否すべきものであるからで、こうした仏弟子としての真摯な態度が「性、甚だ骨鯁にして時に容れず」と評されることになったのだと思われます。道慈にとっては世俗権力の保護とその従属下にある日本の仏教のあり方が「大唐の道俗の伝ふる聖教の法則」と異なるように見えたのではないでしょうか。後の鑑真和上の来日に繋がる戒師の招聘も道慈との関わりが推測され、天平の遣唐使に伴い唐僧の道璿、インド僧の菩提僊那、ベトナム僧の仏哲などが来日し、大安寺に止住したと伝えます。

『資財帳』では繍仏の内の二帳、大般若四処十六会図像と華厳七処九会図像は天平十四（七四二）年に十代の天皇のために道慈と寺主の教義が造ったものとし、聖武天皇が天平十六（七四四）年に大安寺に施入した墾田地九九四町も同じく道慈と寺主の教義の申請によるものとします。また、天平九（七三七）年四月八日の奏上では、道慈は大安寺の伽藍に災いがあることを恐れ、私に毎年、大般若経一部六百巻の転読を行っていたが、これによって雷声はあっても災害はなかったということで、各国から庸調各三段を布施に宛て、百五十人の僧による大般若経転読会を恒例にしたいと願っています。雷声があっても災はなかったと一番恐れているのが伽藍への落雷であることがわかり、百済大寺の子部の神の怒りによる火災、文武朝大官大寺の工事中の火災、これらは落雷が原因であったとも考えられます。この奏上が勅許され、以後大安寺の重要な法会となったことは先に述べたとおりです。

国家の寺

日本の律令には「僧尼令」という僧尼を統制する法令があります。国家による僧尼の行為を規制したものです。大宝元（七〇一）年に大宝律令ができた時、この僧尼令を大安寺（大官大寺）で正七位下の道君首名（みちのきみおびとな）に解説させています。法律の趣旨を徹底させるための寺の代表者を集めた新法講習会といったところでしょうか。道君首名は越国（北陸地方）の地方豪族の出身とみられ、良吏の模範とされた人物です。僧尼令は唐の道士や僧尼を統制する「道僧格（どうそうきゃく）」をもとにしたといわれ、これにインド以来、僧尼が守るべき仏教教団の自己規制である戒律も参照して作られたとみられています。二十七条あって、飲酒、肉食、俗衣の着用、男女関係などを禁じており、僧尼令は明治五（一八七二）年四月廿五日付けで「自今僧侶肉食妻帯蓄髪等可為勝手事　但法要ノ他ハ人民一般ノ服ヲ着用不苦候事」という太政官布が出されるまで、基本的には有効だったといえます。

また、僧尼令は僧尼が天文で災害や吉祥を観て人々を惑わすこと、兵書を読むことは、殺人、窃盗とともに禁じられ、占いや呪いの類、人々を集めて教化することも禁じています。乞食行や山での修行は届け出と許可が必要で、僧尼が寺の外で民衆と交わり、信仰を集めることを国家は恐れていたのです。行基の民衆救済活動が弾圧を受けたのもこのためです。古代の僧尼は、いわば、国家公務員と言ってもよいでしょう。彼らの使命は、国家と天皇のために祈ることですから、民衆の教化などは当然認められません。民衆への仏教の浸透は、叡山の僧であった法然、親鸞、日蓮、栄西、道元といった鎌倉仏教の開祖たちが出てきてからのことになります。

また、本来、僧侶は、十人の僧（三師七証）の承認があり、戒律を守る事を誓えば誰でもなれたのですが、中国や日本では僧侶が労働、納税、兵役を免除されており、課役逃れの僧尼の増加を防ぐため、国家は僧侶になる人数を制限し、これを許可制としていました。天皇などの病気回復のために臨時に出家が許される場合もありますが、口頭試問に合格して許され、国から出家得度の証明書、氏名や年齢、本貫地が記された身分証でもある「度牒（度縁・公験）」が発給されます。勝手に僧となる者は「私度僧」と呼ばれ、禁じられていました。

このように我が国の古代寺院は、仏教に国家を守護・安定させる力があるとみる国家の保護を受けるとともに、僧尼令や僧綱によって厳格に統制され、その支配下に置かれていたといってよいかと思います。その頂点にあったのが、奈良時代の大安寺であったのです。

本来、出家して身を俗世の外において、涅槃を求めて修行する僧侶は，世俗の束縛を受けず、権力をもつ王者・君主の制約を受けなかったはずです。道慈が「僧、既に方外の士、何ぞ煩わしく宴宮に入らん」として長屋王の招宴を断ったこと、「性、甚だ骨鯁にして時に容れず」と『懐風藻』が評しているのは、この僧侶本来のあり方とも通じるようです。

現在は、宗教は国家からの従属を離れ、国家と宗教は法律や制度のうえで分離されていることになっていますが、こうした国家（政治）と宗教（仏教）の関りやその歴史について知り、考えることは非常に重要なことだと思います。

あとがき

本書は大安寺歴史講座1として二〇一三年七月二十日から二〇一四年四月十二日に六回、開催された菅谷文則先生の「大安寺伽藍縁起并流記資財帳を読む」の講演内容を取りまとめたものである。整理して書き直したいという菅谷先生のお考えで、講座のテープ録音をもとに執筆を進められていたが、脱稿真近の二〇一九年になって病に倒れられ、それが不可能になった。先生の御依頼により、その作業を森下惠介が引き継ぎ、テープ録音をもとに執筆し、一部を補い、病床の菅谷先生の校閲を得たが、もとより、菅谷先生の幅広い学識と豊かな発想に及ぶところでない点はお許し願いたい。

菅谷先生は、惜しくも二〇一九年六月十八日に鬼籍に入られた。御冥福をお祈りしたい。先生から受けた学恩に深く感謝申し上げるとともに、作業を進めるにあたり、御尽力いただいた橿原考古学研究所の箕倉永子さんに感謝申し上げる次第である。

森下　惠介

菅谷文則（すがや　ふみのり）
1942年奈良県生まれ。関西大学大学院修了。奈良県立橿原考古学研究所で古墳、寺院などの発掘調査に従事、北京大学留学、帰国後は中国考古学、シルクロード学にも取り組む。1995年から2008年まで滋賀県立大学教授。2009年から2019年まで奈良県立橿原考古学研究所所長を務める。2019年逝去。
編著　『日本人と鏡』(同朋舎出版・1991)、『シルクロード文化を支えたソグド人』(サンライズ出版・2008)、『三蔵法師が行くシルクロード』（新日本出版社・2013）など

森下惠介（もりした　けいすけ）
1957年奈良県生まれ。元奈良市埋蔵文化財調査センター所長。
奈良県立橿原考古学研究所共同研究員

大安寺歴史講座 1

大安寺伽藍縁起并流記資財帳を読む
（だいあんじがらんえんぎならびにるきしざいちょう）

2020年2月27日　初版第1刷発行

著　者　菅谷文則
編　者　南都大安寺
発行者　稲川博久
発行所　東方出版(株)
〒543-0062　大阪市天王寺区逢阪2-3-2
Tel. 06-6779-9571　Fax. 06-6779-9573
装　幀　森本良成
印刷所　亜細亜印刷(株)

乱丁・落丁はおとりかえいたします。
ISBN978-4-86249-388-0

大安寺歴史講座シリーズの刊行にあたって

大安寺は上代における日本仏教の源泉ともいうべき寺院でした。聖徳太子建立と伝わる熊凝精舎（くまごりしょうじゃ）に淵源を持ち、舒明（じょめい）天皇による最初の官大寺として仏教の黎明期を支え、天武期には、高市大寺（たけちのおおてら）、大官大寺（だいかんだいじ）と変遷して仏教導入による日本の国家形成の主軸となったのでした。

さらに平城京遷都に伴って今日の地に移されて大安寺となり、二十五万平方メートルにおよぶ広大な寺域に九〇余棟の建物が立ち並び、八八七名という学侶が居住して、仏教の基礎研究の拠点となり、仏教文化の受容と伝播に重要な役割を果たしたのです。

今日の大安寺は、古の大伽藍は地下遺構に埋もれ、往年の巨大寺院の影をすっかり潜めてしまいましたが、旧境内全域が国の史跡に指定され、また、天平時代の仏像九体が残されて仏法とその歴史的意義が今日に伝えられています。

大安寺歴史講座は、今日までの様々な研究や発掘による成果に基づき、人々の記憶の中に埋没した大安寺の歴史を掘り起こし、その宗教的意義や文化的意義を再認識し、新たな知見を得ると共に、それらを記録にとどめていくことを目指しています。

大安寺の旧伽藍を昔のまま復元していくことが寺院としての第一義ではありません。むしろ今日的境内整備と相俟って、かつての大安寺の存在が掘り起こされ、人々の間に認識されて、その精神的な復興につながることになれば望外の喜びです。

大安寺貫主　河野良文（こうのりょうぶん）